HERDERBÜCHEREI

SONDERBAND

TEXTE ZUM NACHDENKEN

sind Einladungen zum verweilenden Lesen.
In der Flut der vielen Worte
vermitteln sie wesentliche Worte,
Worte, die zur Mitte führen,
gesammelt aus allen Kulturen und Religionen
unserer Welt;
denn Lebensweisheit
kennt keine Grenzen.
Jeder Band ist schön gestaltet –
als ein Geschenk für Leser.

Dieser Sonderband bietet eine Probe aus den vorliegenden 33 Titeln an, die auf Seite 119ff. vorgestellt werden. Bei den Quellenangaben im Text verweist die erste Ziffer auf dieses Verzeichnis, die zweite Ziffer auf die Seitenzahl des betreffenden Bandes. Zur Zeit der Drucklegung dieses Sonderbandes sind alle genannten Titel beim Verlag lieferbar. Man findet sie in jeder guten Buchhandlung. Sollte zufällig eine Nummer nicht vorrätig sein, kann der Buchhändler sie in wenigen Tagen ohne Mehrkosten besorgen. »Texte zum Nachdenken« sind übrigens inzwischen auch beliebte Geschenkbände geworden.

ES IST UNS ZUGESAGT

WORTE
DER LEBENSWEISHEIT

*AUSGEWÄHLT
UND EINGELEITET VON
GERTRUDE SARTORY*

HERDERBÜCHEREI

Buchumschlag: Willy Kretzer

Herder Freiburg · Basel · Wien
Gesetzt in der Times-Antiqua (Digiset)
Gesamtherstellung:
Offizin Herder in Freiburg im Breisgau 1983
ISBN 3-451-19755-3

INHALT

ZUGESAGTE WORTE

Dieser Sonderband bietet eine Art Querschnitt durch die bereits vorliegenden Bücher der Reihe »Texte zum Nachdenken«. Die Kapitelüberschriften, unter denen diese Auswahltexte gruppiert worden sind, sind mit etlichen Titeln dieser Buchreihe identisch. Das bedeutet aber nicht, daß unter den jeweiligen Kapitelüberschriften nur Texte aus den Büchern der entsprechenden Titel zu finden wären. Diese Titel wirkten vielmehr wie geistige Magneten: wie von selbst ließen sich auch die aus den anderen Bändchen ausgewählte Texte gleichsam in natürlichen Kraftlinien rund herum um einen solch »anziehenden« Titel anordnen.

Seit 1977 sind bereits 33 Bücher der Reihe »Texte zum Nachdenken« erschienen – Texte zum Wiederlesen, zum Verinnern, zum Meditieren: Worte von Dichtern und Denkern, Heiligen und Weisen – Texte der Lebensweisheit, Sinnsprüche, tiefsinnige Geschichten, auch Märchen und Gedichte. In jedem Band kommt eine andere Gestalt oder Tradition zu Wort, jeweils unter einer Fragestellung, die uns heute bewegt.

Diese »Texte zum Nachdenken« stammen nicht alle aus der christlichen Geisteswelt. Aber da sie zentrale

Texte dem Leser anbieten, ist ihre Wahrheit grenzübergreifend. Es ist wie bei einem Rad, um ein altüberliefertes Bild aufzugreifen: je näher zum Mittelpunkt, umso näher sind die Speichen beieinander – je ferner vom Zentrum, desto mehr sieht man die Speichen auseinanderstreben und die Zwischenräume immer klaffender werden.

In den Büchern der Menschheit ist eine Fülle von Texten zu finden, die Herz und Sinn auf das Letzt-Wesentliche, auf die Mitte hin, konzentrieren, Texte, die das Bewußtsein weiten und verändern und die in der Seele Wandlungsprozesse auslösen können. Vorausgesetzt, man läßt ihnen Zeit, einzudringen und ein-zu-wirken. Erst dann nämlich werden aus Worten, die einmal gesagt oder geschrieben worden sind, Worte, die wir in einer bestimmten äußeren oder inneren Situation als gerade uns »zugesagt« erleben können.

Es charakterisiert die Texte dieser Reihe, daß sie nicht bloße Informationen bieten, durch die unsere Kenntnisse erweitert werden, nicht bloße Belehrung, die unsere Erkenntnis bereichert. Die Autoren unserer Texte sitzen nicht auf dem Katheder: das ist ihnen allen gemeinsam, so verschieden sie sonst auch sein mögen.

Wie ist zum Beispiel das Tao Te King entstanden, diese Perle chinesischer, ja menschheitlicher Weisheitliteratur?

Laotse, »der Alte« (er lebte vermutlich im 6. Jahrhundert vor Christus), schrieb nach späterer Überlieferung seine 81 Sinnsprüche nieder, als er sich bereits auf den Weg gemacht hatte, die Welt zu verlassen – so wie ein Mönch sie hinter sich läßt. Jahrzehntelang hätte er genügend Zeit gehabt, seine Weisheit zu Papier zu bringen, soll er doch Geschichtsschreiber am Archiv des Kaiserhauses Cheu gewesen sein. Aber offenbar boten die günstigen Arbeitsbedingungen einer kaiserlichen Bibliothek ihm nicht genügend Anreiz, seine philosophischen Erkenntnisse niederzuschreiben. Er lebte ganz dem Tao und der Tugend, wie Sze-ma-tsien, der »chinesische Herodot«, Ende des zweiten Jahrhunderts vor Christus aus dem Leben Laotses zu überliefern wußte. »Selbstverborgenheit und Namenlosigkeit: das sei für ihn das Ziel gewesen ... Nachdem Laotse lange in Cheu gelebt und gewirkt habe, sei er, tief bekümmert über den dortigen moralischen Verfall, weggezogen. Am westlichen Grenzpaß Han-gu habe ihn offenbar der Grenzwächter Yin-hi erkannt und zu ihm gesagt: ›Wie mir scheint, Herr, willst du dich zurückziehen. Bemühe dich doch, tu mir's zu Liebe, und schreibe ein Buch!‹ Darauf habe Laotse ein Buch geschrieben ..., worin er das Wesen des Tao (Sinn) und des Te (Tugend) besprochen habe – in etwas über 5000 Worten. Dann sei er nach Westen weitergezogen, niemand wisse, wo er gestorben sei, denn: ›Laotse war ein verborgener Weiser‹.« (31 S. 18) Ob Legende oder nicht – diese Geschichte vom verborgenen, weil schweigsamen, Weisen hat ihre eigene Weisheit. Wäre jener Grenzwächter nicht gewesen, hätte Laotse – so will es die Geschichte – diese Quintessenz seiner Lebens- und Welterfahrung mit ins Grab genommen. Weisheit ver-lautet sich nur dort, wo Ohren sind, die sich ihr begierig öffnen. Ein einfacher Grenzwächter hat den

Durst, der den Quell zum Sprudeln bringt. Da braucht er auch nicht lange zu betteln. Die einfache Bitte genügt. Der Alte unterbricht seine Wanderung und schreibt »das Buch«, bevor er die Grenze endgültig überschreitet.

»Sagen« kann man vieles. Zum »zu-sagen« müssen zweie dasein: einer, von dem das Wort ausgeht, und einer, bei dem es eingeht.

Der Heilige Basilius (* um 330), einer der Großen unter den Kirchenvätern des Ostens, hat das an einer Gesprächssituation verdeutlicht, in der nun allerdings Worte im anspruchsvollsten Sinn »zugesagt« werden, dort nämlich, wo Jünger sich um einen geistlichen Meister scharen.

Die Sprachfähigkeit, sagt Basilius, sei uns geschenkt worden, damit wir einander unsere Gedanken mitteilen können, »die wir aus den Gründen des Herzens wie aus Vorratskammern hervorholen«. Wären wir reine Geister, so könnten wir unmittelbar, ohne das Medium des Wortes, unsere Gedanken austauschen. »Nun aber arbeitet unsere Seele unter einer Fleischeshülle verborgen ihre Gedanken aus; sie braucht also Worte und Namen, um das in der Tiefe Ruhende kund zu tun. Hat dann unser Geist einen bestimmten Ausdruck gefunden, so fährt er in der Rede wie in einem Kahn dahin, durchfurcht die Luft und geht vom Redenden zum Hörenden über. Findet er tiefe Ruhe und Stille vor, so landet die Rede in den Ohren der Schüler wie in ruhigem, sicherem Hafen. Bläst ihr aber wie ein wilder Sturm der Lärm der Zuhörer entgegen, so verhallt sie in der Luft und erleidet Schiffbruch. Schafft also mit Schweigen Ruhe für die Rede:

vielleicht enthüllt sie etwas Wertvolles, was ihr mitnehmen könnt.«*
Nur Schweigen ermöglicht, daß das Wort ankommt. Eine Binsenwahrheit selbstverständlich, denn wer selber redet, kann nicht gleichzeitig zuhören. Hier ist es aber doch tiefer gemeint. Der Hörende muß aufnahme-bereit sein, nicht mit seinen eigenen Gedanken, Ideen, Vorstellungen, Wertungen, Urteilen bis zum Rande gefüllt, so daß Neues, Anderes, gar nicht mehr hinein kann. Andererseits muß das Wort auch im Redenden aus Schweigen geboren werden, damit es die notwendige Ein-dringlichkeit besitzt und beim Hörenden innerlich landen kann. Unser Titelbild zeigt, wie Bücher entstehen, die den Leser so treffen können, daß er jäh fühlt: das be-trifft mich! Das Bild ist einem Fresko nachgestaltet, das zu einem um 800 entstandenen Bilderzyklus in St. Benedikt gehört, einem karolingischen Kirchlein in Mals, in Südtirol. Das Fresko zeigt Gregor den Großen, Papst und Kirchenvater, dessen Schriften die Theologie und vor allem die Spiritualität der mittelalterlichen Kirche tiefgreifend bestimmt haben.
Der hier schreibt, so zeigt es das Bild, ist eher der Vermittler als der Schöpfer seines Werkes. Er ist wie ein Kanal, durch den das Wort, das er selbst empfängt, weitergeleitet wird. Als würde ihm zugeflüstert, was er schreiben soll! Die Taube, Symbol des Gottesgeistes, des Spiritus Sanctus, in-spiriert ihn. Aber da sind doch drei Tauben zu sehen? Das ist allerdings

* Texte der Kirchenväter – Nach Themen geordnet, III. Bd. München 1964, S. 273 f.

ungewöhnlich, wenn auch für St. Benedikt in Mals charakteristisch. Die Dreizahl spielt in diesem uralten Kirchlein eine auffällige Rolle; sie ist vermutlich der symbolische Reflex der Bemühungen auf der Synode zu Frankfurt (794) und der zu Aachen (799), den Dreifaltigkeitsglauben gegen bestimmte häretische Verzerrungen zu verteidigen. Die drei Tauben weisen darauf hin, daß Inspiration das Werk des dreieinigen Gottes ist, nicht nur des Heiligen Geistes, sondern auch des Vaters und des Sohnes.

Nun ist Gregor I. zwar ein bedeutender Papst und ein einflußreicher Kirchenvater gewesen, jedoch kein Evangelist, kein biblischer Schriftsteller; man kann ihn nicht mit David oder Isaias, nicht mit Paulus, Petrus oder Johannes vergleichen. Gregor war nicht das menschliche Instrument göttlicher Offenbarung im biblischen Sinn des Wortes. Und doch zeigt das Fresko zu Mals, wie der heilige Kirchenvater die Seiten seines Buches gleichsam unter göttlicher Geisteinflüsterung beschreibt.

Da sehen wir, daß Inspiration, Einhauchung, Eingebung, verschiedene Bedeutungen haben kann. Jedenfalls: wann immer wir das Gefühl haben, daß »uns ein Wort zugesagt ist«, empfinden wir den, der es aussprach oder niederschrieb, nicht als den letzten Urheber (»Autor«) dieses Wortes: wir haben dann, bewußt oder unreflektiert, deutlich oder vage das Empfinden, daß ein uns so betreffendes Wort von weiterher kommt, und daß der, durch den wir es empfangen, es uns nur vermittelt hat.

Wer solche Worte zusagen kann, so daß sie einen genau treffen, die innere Situation erhellen und konkret den nächsten Schritt zeigen, den man jetzt tun müßte, der galt bei den frühchristlichen Mönchen Ägyptens und des Orients als Abbas, als Altvater – oder auch als Amma, Altmutter, denn es gab in diesen frühchristlichen Einsiedeleien und Klöstern auch berühmte geistliche Meisterinnen, deren weisende Sprüche genau so überliefert und verbreitet wurden, wie die der großen Altväter.

Er war nicht Sache der Mönche, darüber zu befinden oder abzustimmen, wem der Rang eines Abbas, eines Altvaters, zuzuerkennen sei. Wer ein Abbas ist, das wird sich zeigen. Denn der Abbas ist Geist-Träger, und das ist zunächst einmal eine innere, unsichtbare Qualität. Diese aber kann sich äußern, kann augenscheinlich werden, dann, wenn dem Geistträger das geisterfüllte Wort gegeben wird. Das *Wort* ist es, das einen Mönch zum Altvater macht. Mit Redegewandtheit hat das nichts zu tun. Der Abbas verkündet keine allgemeinen Lehren. Wenn aber ein ringender, ein suchender Mensch mit einer Frage zu ihm kommt, kann es geschehen, daß dem Altvater das richtige Wort geschenkt wird. Dann spricht er. Und er spricht nur dann, wenn sich das Wort in ihm einstellt. Er kann das Wort nicht ergreifen, es ist ihm nicht verfügbar. Es ist da, oder es ist eben nicht da. Dann schweigt er.

Die Aussprüche dieser frühchristlichen Meister – »Worte der Väter«, Apophthegmata, werden sie in den späteren Sammlungen genannt – sind also von ihrem Ursprung her ganz konkret adressierte Zusprüche, genau auf die innere Situation des um Weisung Bittenden bezogen. Manchmal wurde auch die Vorgeschichte einer solchen Väterweisung mitüberliefert;

dann können wir uns die Situation vorstellen, in der jenes »Wort« geboren wurde, das der Fragende als ihm zugesagt annahm und mit sich nahm.
Da war unter den Mönchen in der Wüste ein Bruder – so eine dieser Vorgeschichten – einer Versuchung erlegen, geriet darüber in Verwirrung und ließ schließlich alles schleifen. Als er wieder anfangen wollte, wie ein Mönch zu leben, hielt ihn wiederum diese Verwirrung davon ab. Er sagte sich: wann werde ich je wieder *so* sein können, wie ich zuvor war?
»Dabei verlor er den Mut und konnte es so niemals zu einem Anfang bringen. Da ging er zu einem Altvater und erzählte ihm, was mit ihm geschehen war. Der Greis hörte sich an, was ihn bedrückte, und gab ihm dann dieses Beispiel zu hören:
Irgendein Mann besaß einen Acker, den er aber aus Nachlässigkeit verwildern ließ, so daß er von Disteln und Dornen übersät war. Später aber wollte er ihn wieder urbar machen und sagte zu seinem Sohn: Geh und reinige den Acker! Der Sohn ging hin, um ihn zu reinigen. Als er ihn aber betrachtet hatte, sah er die Menge des dort wachsenden Unkrauts und sprach ganz entmutigt zu sich selbst: Wie soll ich das alles ausrotten und fortschaffen? Und er warf sich zur Erde und schlief. Und so machte er es viele Tage. Als sein Vater kam, um nachzusehen, was er bereits gearbeitet hatte, fand er ihn müßig. Und er fragte ihn: Warum hast du bis jetzt nichts getan? Der Jüngling erwiderte seinem Vater: Als ich gekommen war, um zu arbeiten, sah ich die Unmenge von Disteln und Dornen, und da wußte ich nicht, wo ich anfangen sollte, und vor Unmut legte ich mich auf die Erde und

schlief. Der Vater entgegnete ihm: Mein Sohn, arbeite täglich nur so viel, als dein Körper, wenn du liegst, Raum einnimmt, und so wird deine Arbeit allmählich voranschreiten, und du wirst dabei nicht verzagt sein. Als der Jüngling das gehört hatte, handelte er danach, und in kurzem war der Acker gereinigt und urbar gemacht. – Mache auch du, Bruder, es so, arbeite nach und nach, so wirst du den Mut nicht verlieren, und Gott wird dich wieder in deine frühere Ordnung einsetzen durch seine Gnade.

Als der Bruder das gehört hatte, ging er fort und tat, wie ihm der Greis gesagt hatte, indem er geduldig ausharrte. Und so fand er seine Ruhe und brachte es durch den Herrn Christus wieder vorwärts« (20 S. 64f.).

Aber das ist doch nicht nur eine spirituelle Wegweisung und eine Anleitung zum geistlichen Kampf? Das gilt doch auch für das alltägliche Leben, schlechthin für alles, was man zu bewältigen hat und was oft wie ein unbezwingbarer Berg vor einem liegt, so daß man nicht weiß, wo man anfangen soll, und darum erst gar nicht anfängt. Natürlich! Der Altvater hatte ja selbst ein Beispiel aus der Sphäre des Alltags gewählt, um dem verzweifelnden Bruder mit seiner Geschichte zu zeigen, daß das, was in einer solchen Alltagssituation vernünftig ist, auch zugleich weise und sogar spirituell das jetzt Gebotene sei. Eine Weisung kann auf den verschiedensten Ebenen hilfreich sein, sie kann für die unterschiedlichsten äußeren und inneren Konfliktsituationen einen Ausweg zeigen.

Worte, die wir als »uns zugesagt« empfinden, haben meist einen mehrschichtigen Charakter. Der eine hört dies heraus, der andere jenes – je nachdem, an welchem Punkt seines Weges es einen Menschen trifft und seinem Fuß voranleuchtet, so daß er plötzlich sieht, welches der jetzt zu tuende Schritt für ihn ist.

Das gilt erst recht vom Wort der Tora, wie die Juden sie nennen – vom Wort göttlicher Weisung, von dem es im Psalm heißt, daß es »ein Licht für meine Pfade« ist (Ps 119,105). Die jüdische Mystik sprach darum von einer »unendlichen Bedeutungsfülle« der Sinai-Offenbarung. Isaak Luria zum Beispiel lehrte, daß es »sechshunderttausend Gesichter der Tora« gäbe, ebenso viele, »als Seelen zur Zeit der Offenbarung in Israel vorhanden« gewesen seien. »Das heißt mit anderen Worten«, so erklärt Gershom Scholem die Lehre Lurias, »daß jeder Mensch in Israel dem ›Innersten seiner Seele‹ oder seinem ›eigenen Licht‹ entsprechend, eine eigene Lesung und Interpretation der Tora besitzt, die nur von ihm gefunden werden kann ... Das Gotteswort sendet zu jedem Menschen einen anderen Lichtstrahl aus, der ausschließlich ihm gehört.«*

Ein Wort, das zugesagt wird, kann wie ein zündender Funke sein: ein Licht blitzt auf, und man sieht, was man zuvor nicht sah. Auch einem Nichtchristen kann ein Wort des Evangeliums zu einer plötzlichen Erleuchtung werden. Gandhi hat nie einen Hehl daraus gemacht, daß ihm die Initialzündung zu seinem Ethos der Nicht-Gewalt aus der Bergpredigt Jesu ge-

* G. Scholem, Die jüdische Mystik in ihren Hauptströmungen, Sonderausgabe Suhrkamp Verlag Frankfurt a. M. 1967, S. 229.

kommen war; freilich war er als Hindu, wenn auch zunächst mehr unbewußt, durch sein eigenes geistliches Erbe dafür prädestiniert, daß gerade der Gedanke Nicht-Gewalt, »Ahimsa«, sein Herz entbrennen lassen mußte. – Umgekehrt kann einen Christen auch ein Wort Buddhas oder Mohammeds, ein Wort aus den Upanishaden, aus der Bhagavad-Gita oder aus der Altjüdischen Überlieferung wie eine himmlische Erleuchtung treffen. Es kann genau so gut aber auch die Legende von einem Heiligen sein (welcher Religion auch immer), die das Herz entzündet, oder eben das Wort eines Weisen, ein Gedicht oder auch ein Märchen.

»Es ist seltsam«, sagt Novalis, »daß in einer guten Erzählung allemal etwas Heimliches ist – etwas Unbegreifliches. Die Geschichte scheint noch uneröffnete Augen in uns zu berühren – und wir stehen in einer ganz anderen Welt, wenn wir aus ihrem Gebiet zurückkommen.« Und: »Ein Gedicht muß ganz unerschöpflich sein wie ein Mensch und ein guter Spruch« (2 S. 78).

Denn mit einem Menschen kommt man nie an ein Ende, ein ganzes Leben reicht nicht aus, um dessen Wesen zu ergründen. Und wenn ein *Spruch* gut ist, dann ist er wahr auf so vielen verschiedenen Ebenen, daß man ihn auch immer wieder von neuem lesen kann. Erst recht ist ein Gedicht nicht auszuschöpfen. Ein Gedicht ist keine objektive Aus-sage, die man zur Kenntnis nehmen kann. Es ist immer zugesagtes Wort, wenn es zündet. Ein Gedicht muß man sich zu eigen machen, aus dem eigenen Inneren neu beleben, im gewissem Sinn im eigenen Herzen neu erschaffen.

Vielleicht sagt es dann mehr, als dem Dichter bewußt war, als sich ihm die Worte formten. Weshalb nicht immer der Dichter der kompetenteste Interpret seiner eigenen Verse ist.

Der Schauspieler Ernst Ginsberg erzählt in seinen Lebenserinnerungen, wie eines Tages an einem regnerischen Morgen früh gegen sechs Else Lasker-Schüler bei ihm aufgetaucht sei, um ihm ein Gedicht vorzulesen, das ihr in der Nacht gekommen war. Es war das Gedicht »Die Verscheuchte« – damals noch unter dem Titel »Das Lied der Emigrantin«. Nachdem sie es vorgelesen, wollte sie abrupt von Ginsberg wissen, was er dazu meine. Die Verse hatten ihn erschüttert, und er sagte es. Aber nicht das wollte sie wissen. »Nein, nein! Nich ob et Ihnen jefällt«, sagte sie in ihren Elberfelder Dialekt, »sondern (und dabei zeigte sie auf einen bestimmten Vers) wat heißt denn dat hier? dat hier?« Ginsberg verstand sie so, als wünsche die Dichterin nur eine Bestätigung für die Klarheit ihrer Verse, und so sagte er mit seinen Worten, wie er diese Stelle aufgefaßt hatte und verstand – was für die Lasker-Schüler so etwas wie eine Offenbarung war, denn sie sah Ginsberg »mit ihren großen Augen an und meinte staunend: »Ja, Jung, so kann dat jemeint jewesen sein!«*

Aber – und so dürfen wir diese Geschichte weiterführen –: es könnte auch noch anderes »gemeint gewesen sein«, ohne daß die eine Interpretation die andere ausschlösse. Je tiefer ein Text ist, umso vielschichtiger. Und je mehr man von einem Wort sagen

* Ernst Ginsberg, »Abschied«, Zürich, 4. Aufl. 1967, S. 155.

kann: »es ist uns zugesagt« – umso vielstimmiger klingt es. In vielen Frequenzen gleichsam, ja nach der Wellenlänge, auf die der Empfänger des je Hörenden (oder Lesenden) eingestellt ist.
Denn ein Wort, das »uns zugesagt ist«, vermittelt anderes als objektive Erkenntnis. Es strahlt etwas von der Inspiration oder Intuition aus, in der es sich formte, und die der libanesische Dichter Mikhail Nuaime mit den Versen beschrieben hat:

DIE INTUITION, o Herr, ist wie ein Blitz,
der die dunklen Wolken zerreißt
und die finstere Nacht
für einen Augenblick erhellt.
Sie blitzt plötzlich in uns auf,
lüftet für einen Moment die schwarzen Schleier,
taucht alles in Licht
und verschwindet ebenso unvermittelt
in den Wüsten der Wolken.
Aber was sie in diesem lichten Moment
von der Welt offenbart,
schreibt sie für immer
in die Tiefen der Seele ein.

(1 S. 51)

LEBEN
AUS DEN WURZELN

Mit Absicht denke ich nicht über den sichtbaren Baum nach, sondern über seine ebenso wirklichen, doch unsichtbaren Wurzeln. Aus den Wurzeln steigt der Baum in seine sichtbare Form, aus den unsichtbaren Wurzeln, die ihn nähren. Diese Spannung zwischen sichtbarer Wirklichkeit und der unsichtbaren Wirklichkeit, welche die andere erst ermöglicht, das macht Wurzeln so symbolträchtig, gibt Wurzeln den Symbolwert der Hoffnung.
Es hat schon seine Richtigkeit, daß Wurzeln meist unsichtbar bleiben. Sie wollen im Dunklen und Geheimen treiben und Leben spenden. Sie brauchen ihr zurückgezogenes Alleinsein, sie wehren sich gegen Entdeckung.
Wurzeln besitzen geheimnisvolle Eigenschaften. Sie sind erfüllt von der Schwere, Trägheit, dumpfen Kraft des Erdbodens. In ihnen ist das dunkle Wesen der Erde lebendig. Der Dorfdoktor hat eine erregende Auswahl von Wurzeln zum Verkauf bereit, jede für eine besondere Krankheit bestimmt. Diese Wurzeln besitzen die Macht zu heilen, das heißt, den Menschen die Kraft der Erde, aus der sie doch selbst stammen, zurückzugeben, sie wieder mit dem Wesen der Wirklichkeit zu vereinen.

Jyoti Sahi 9, S. 23 ff.

*

Hoffnung ist lebendiger, lebensnaher; selbst in der Verzweiflung, in der Dunkelheit, der Schuld treibt Hoffnung Wurzeln, solange sie ihre Bedeutung und Kraft in unserer menschlichen Situation sucht. Dort gräbt die Hoffnung wurzelgleich und hält sich fest. Wo unsere Existenz »Wurzeln schlägt« und »verwurzelt« ist, dort ist auch unsere Hoffnung. Leichter wäre es gewiß, Hoffnung mit einer Blume, einer Frucht zu vergleichen. Doch Hoffnung ist tiefer, weniger hinfällig als eine Blume, die verblüht, und als eine Frucht, die vertrocknet. Die Wurzeln der Hoffnung müssen sich allerdings durch das Dunkel, die Fäulnis, die Schwere des Mutterbodens – unseres Bewußtseins – graben, und dort klammern sie sich fest und saugen Nahrung. So lebt Hoffnung aus einem scheinbaren Widerspruch: Sie zieht Nahrung aus dem Stoff des Leidens und der Schwere und wird doch Hoffnung! Ein Mensch der Hoffnung ist nicht einer, der aller Schwerkraft enthoben über Wolken schwebt und Nektar trinkt; sein Symbol ist vielmehr der Elefant und der Eber, die mit machtvollen Stoßzähnen die Erde aufwühlen, um das Geheime, die versteckte saftige Wurzel im Mutterboden des Seins zu entdecken.

Jyoti Sahi 9, S. 26f.

*

Wie an dem Tag, der dich der Welt verliehen,
Die Sonne stand zum Gruße der Planeten,
Bist alsobald und fort und fort gediehen
Nach dem Gesetz, wonach du angetreten.
So mußt du sein, dir kannst du nicht entfliehen,

So sagten schon Sibyllen, so Propheten,
Und keine Zeit und keine Macht zerstückelt
Geprägte Form, die lebend sich entwickelt.

Goethe 6, S. 62

*

Wachsen ist das Gefühl, daß das Uranfänglichste zu seinem Ursprung in die Ewigkeit dringt.

Bettina 3, S. 109

*

Das Schwere
ist des Leichten Wurzel.
Das Stille
ist der Unruhe Herr.

Lao-tse 31, S. 79

*

Denken und Tun, Tun und Denken, das ist die Summe aller Weisheit, von jeher anerkannt, von jeher geübt, nicht eingesehen von einem jeden. Beides muß wie Aus- und Einatmen sich im Leben ewig fort hin und wider bewegen; wie Frage und Antwort sollte eins ohne das andere nicht stattfinden. Wer sich zum Gesetz macht, was einem jeden Neugebornen der Genius des Menschenverstandes heimlich ins Ohr flüstert, das Tun am Denken, das Denken am Tun zu prüfen, der kann nicht irren, und irrt er, so wird er sich bald auf den rechten Weg zurückfinden.

Goethe 6, S. 120

*

In der Entwicklung eines jeden Menschen kommt der Augenblick, in dem er erkennt, daß Neid Unwissenheit und Nachahmung Selbstmord ist; daß er sich selbst, so wie er nun einmal ist, annehmen muß und auch dann, wenn das Weltall aller guten Dinge voll wäre, kein Körnchen Nahrung gewinnen könnte außer durch seine eigene Mühe auf dem Acker, den er bebauen soll. Die Kraft, die ihm innewohnt, ist einmalig in der Natur, und niemand weiß, was er leisten kann; auch er selbst nicht, wenn er sie nicht erprobt ... Gott will sein Werk nicht durch Feiglinge offenbaren. Ein Mensch fühlt sich froh und erhoben, wenn er sein Werk mit ganzem Herzen getan und sein Bestes geleistet hat, aber was er sonst sagt oder tut, verschafft ihm keine Befriedigung. Es ist eine Befreiung, die nicht befreit. Sein Genius verläßt ihn, keine Muse, kein Einfall, keine Hoffnung stehen ihm bei. Vertrau dir selbst: jedes Herz schlägt höher beim Klang dieser stählernen Saite! Nimm den Platz ein, an den die göttliche Vorsehung dich gestellt hat, nimm die Gesellschaft deiner Zeitgenossen, die Verknüpfung der Geschehnisse an.

Emerson, 25 S. 25

*

In diesem Reich der Illusionen tasten wir fieberhaft nach einer Stütze, einem Halt. Es gibt jedoch keinen anderen Halt als den, daß wir zu Hause treu und verläßlich sind und die Illusion der Falschheit nicht dulden. Was für Spiele man auch mit uns treiben mag, mit uns selbst dürfen wir kein Spiel treiben, sondern müssen mit äußerster Redlichkeit und Wahrhaftigkeit handeln. Ich sehe in den einfachen und kindlichen Tugenden der Ehrlichkeit und Wahrhaftigkeit die Wurzel aller Charaktergröße. Sprich, wie du denkst; sei, was du bist, und bezahle deine Schulden. Lieber will ich als ein verläßlicher Mensch gelten, der zu seinem Wort steht, fest und unbeirrbar in seinem Wesen, als daß mir die ganze Welt zu Füßen läge. Auf dieser Wirklichkeit sind Freundschaften, Religion, Richtung und Kunst gegründet …

Emerson 25, S. 65

*

Finde Dich, sei dir selber treu, lerne dich verstehen, folge deiner Stimme, nur so kannst du das Höchste erreichen. Du kannst nur *dir* treu sein in der Liebe, was du schön findest, das mußt du lieben, oder du bist dir untreu.

Bettina 3, S. 104f.

*

VISION DES HEILIGEN NIKOLAUS VON FLÜE

Auch habe er, als er sechzehn Jahre alt war, einen hohen, schönen Turm gesehen, an der Stelle, wo jetzt sein Häuslein und die Kapelle stünden. Daher sei er auch von jung auf willens gewesen »ein einig wesen zu suochen, als er ouch getan«.

Zur Turmvision

von der oberfläche weg
hinunter
stufe um stufe hinunter
an den letzten platz
wird das fundament gelegt
»wenn ich demut habe und den glauben«

aus tiefstem grund
wächst der turm
»ein einig wesen«
mit gott

Margrit Spichtig 28, S. 70

VOM GLÜCK DER HARMONIE

Der Himmel scheint uns schön,
  weil es Hässliches gibt.
Das Gute scheint uns gut,
  weil es Böses gibt.

Doch Hell und Dunkel
  ergänzen einander.
Vom Tal aus ist die Erde hoch,
vom Berg aus tief.
  Oder umgekehrt?

Der Weise lehrt:
zehntausend Dinge
entstehen und vergehen
wieder und wieder.
Erschaffen – aber nicht als Besitz.
Erarbeitet – aber ohne Profit.
Ist das Werk getan,
vergiss deine Arbeit.
So bleibt es
ewig
ganz.

Lao-tse 31, S. 36f.

*

Die Welt ist schön, die Welt ist gut, gesehn als Ganzes,
Der Schöpfung Frühlingspracht, das Heer des Sternentanzes.

Die Welt ist schön, ist gut, gesehn im einzelst Kleinen;
Ein jedes Tröpfchen Tau kann Gottes Spiegel scheinen.

Nur wo du einzelnes auf einzelnes beziehst,
O wie vor lauter Streit du nicht den Frieden siehst!

Der Frieden ist im Kreis, im Mittelpunkt ist er,
Drum ist er überall, doch ihn zu sehn ist schwer.

Es ist die Eintracht, die sich aus der Zwietracht baut,
Wo mancher, vom Gerüst verwirrt, den Plan nicht schaut.

Drum denke, was dich stört, daß dich ein Schein betört,
Und was du nicht begreifst, gewiß zum Plan gehört.

Such erst in dir den Streit zum Frieden auszugleichen,
Versöhnend dann, soweit du kannst, umherzureichen.

Und wo die Kraft nicht reicht, da halte dich ans Ganze;
Im ew'gen Liebesbund steht mit dir Stern und Pflanze.

Rückert 18, S. 65

*

Laßt uns Altäre bauen der gesegneten Einheit, welche die Gegensätze in der Natur und in der menschlichen Seele auf vollkommene Weise löst und jedes Atom zwingt, dem Sinn des Weltalls zu dienen. Ich staune nicht über eine Schneeflocke, eine Muschel, eine Sommerlandschaft oder die Pracht der Sterne, sondern über die Schönheit als eine Notwendigkeit des Universums: daß alles sich zu einem Bilde fügen muß und daß der Regenbogen, die Krümmung des Horizonts und die Wölbung der blauen Kuppel sich nur aus der Beschaffenheit meines Auges ergeben. Mich braucht kein törichter Schwärmer herbeizurufen, damit ich einen Blumengarten, eine vom Sonnenschein vergoldete Wolke oder einen Wasserfall bestaune, denn ich kann ja meine Augen nicht auftun, ohne Herrlichkeit und Anmut zu erblicken. Wie müßig, ein zufälliges Fünkchen hier oder dort herauszugreifen, wenn die den Dingen innewohnende Notwendigkeit sogar dem Chaos die Rose der Schönheit an die Stirne heftet und Harmonie und Freude als die innerste Absicht der Natur enthüllt.

Emerson 25, S. 90

*

Diese Tatsachen haben die Menschheit zu dem erhabenen Glauben geführt, daß die Welt nicht das Produkt vielfältiger Kräfte, sondern aus *einem* Willen, aus *einem* Geist geschaffen ist und daß dieser Geist überall wirkt, in jedem funkelnden Stern, in jeder sich kräuselnden Welle eines Teiches. Was sich diesem Willen entgegenstellt, wird zunichte, weil die Dinge nun einmal so und nicht anders beschaffen sind. Das Gute ist das Positive. Das Böse existiert nur als Negation, es hat kein absolutes Sein: Es ist wie die Kälte, die eine Negation der Wärme ist. Alles Böse ist gleichbedeutend mit Tod oder Nichtsein. Nur der gute Wille ist absolut und real. Soviel guten Willen ein Mensch hat, so viel Leben besitzt er. Denn alle Dinge gehen aus demselben Geist hervor, der, je nachdem, Liebe, Gerechtigkeit oder Mäßigkeit heißt, so wie derselbe Ozean an den verschiedenen Küsten, die er bespült, verschiedene Namen trägt. Alles entströmt demselben Geist, und alles verbündet sich mit ihm. Solange ein Mensch gute Ziele verfolgt, ist er stark, weil die Stärke der ganzen Natur ihn fördert. Sobald er sich aber von diesem Ziel entfernt, beraubt er sich selbst seiner Kraft und Mittel. Sein Wesen schrumpft und zieht sich aus allem zurück. Er wird immer weniger, ein Körnchen, ein Punkt nur noch, bis absolute Schlechtigkeit endlich zum absoluten Tod führt.

Die Erkenntnis dieses Urgesetzes erweckt im Inneren ein Gefühl, das wir das religiöse nennen und das unser höchstes Glück ist. Es bezaubert und herrscht mit wunderbarer Kraft. Es ist wie Höhenluft. Es ist der Balsam der Welt, Duft und Weihrauch, Myrrhe und Rosmarin. Es macht den Himmel und die Berge erhaben und tönt im schweigenden Gesang der Sterne. Dank dieses Gesetzes, nicht aufgrund unseres Wissens und unserer Macht, dürfen wir sicher im Weltall wohnen. Das Denken ist kalt und ohne echten Bezug zu den Dingen; es findet zu keinem Ende und keiner Einheit. Doch das Erwachen des sittlichen Gefühls im Herzen ist die Versicherung, daß dieses Gesetz in der ganzen Natur herrscht, und es ist, als ob die Planeten, als ob Raum, Zeit und Ewigkeit sich dessen freuten.

Emerson 25, S. 97f.

*

Nach Auffassung der Sufis ist Glück der Seele angeboren und ihr Lebensrecht; denn das innerste Wesen des Menschen, die Seele, ist für ihn göttlich, und Gott ist Glückseligkeit. In der Welt mit ihren Begrenzungen und Unvollkommenheiten können wir darum nur glücklich sein, wenn wir in harmonischer Übereinstimmung mit unserem innersten Selbst, und das heißt mit Gott, leben. Zu dieser Harmonie gelangen wir, wenn wir uns um Selbsterkenntnis bemühen, wenn wir versuchen, die Motive unseres Handelns und Denkens zu durchschauen, und aus dieser Selbsterkenntnis heraus in den verschiedenen Lebensbereichen an uns arbeiten.

Karima Sen Gupta 27, S. 7f.

*

Musik ist die Harmonie des Universums im Kleinen, denn diese Harmonie ist das Leben selbst, und im Menschen, der selbst eine Miniatur des Universums ist, zeigen sich harmonische und disharmonische Akkorde im Puls, in seinem Herzschlag, seiner Schwingung, seinem Rhythmus und Ton. Seine Gesundheit oder Krankheit, seine Freude oder sein Mißvergnügen zeigen an, ob sein Leben Musik hat oder nicht. Das Wunderbare an der Musik ist, daß man durch sie unabhängig vom Denken zu Konzentration und Meditation gelangen kann. In diesem Sinne überbrückt sie die Kluft zwischen Bewußtem und Unbewußtem, zwischen Form und Formlosigkeit. Wenn irgend etwas existiert, was mit dem Verstand faßbar und wirklich vorhanden ist, aber gleichzeitig keine Form hat, so ist das die Musik.

Inayat Khan 27, S. 52

*

Jeder Mensch komponiert die Musik seines Lebens. Wenn er einen anderen verletzt, zerstört er die Harmonie und bringt einen Mißklang auch in die Melodie seines eigenen Lebens.

Inayat Khan 27, S. 61

*

O glaube nicht, daß du nicht seiest mitgezählt;
Die Weltzahl ist nicht voll, wenn deine Ziffer fehlt.

Die große Rechnung zwar ist ohne dich gemacht,
Allein du selber bist in Rechnung mit gebracht.

Ja mitgerechnet ist auf dich in alle Weise;
Dein kleiner Ring greift ein in jene größern Kreise.

Zum Guten, Schönen will vom Mangelhaften,
Bösen
Die Welt erlöst sein, und du sollst sie miterlösen.

Vom Bösen mache dich, vom Mangelhaften frei;
Zur Güt' und Schöne so der Welten trägst du bei.

Rückert 18, S. 80

IM ANGESICHT DER DINGE

Das Wehen der Luft, das Rieseln des Wassers, das Wachsen des Getreides, das Wogen des Meeres, das Grünen der Erde, das Glänzen des Himmels, das Schimmern der Gestirne halte ich für groß: das prächtig einherziehende Gewitter, den Blitz, welcher Häuser spaltet, den Sturm, der die Brandung treibt, den feuerspeienden Berg, das Erdbeben, welches Länder verschüttet, halte ich nicht für größer als obige Erscheinungen, ja ich halte sie für kleiner, weil sie nur Wirkungen viel höherer Gesetze sind. Sie kommen auf einzelnen Stellen vor und sind die Ergebnisse einseitiger Ursachen. Die Kraft, welche die Milch im Töpfchen der armen Frau emporschwellen und übergehen macht, ist es auch, die die Lava in dem feuerspeienden Berge emportreibt und auf den Flächen der Berge hinabgleiten läßt. Nur augenfälliger sind diese Erscheinungen und reißen den Blick des Unkundigen und Unaufmerksamen mehr an sich …

Stifter 10, S. 115

*

Wir alle machen die Erfahrung, daß wir nur im Abstand Ereignisse richtig deuten können. Immer verschieben sich im Rückblick die Gewichte, und auch dann noch ist das letzte Wort nicht gesprochen.
Es ist diese Erfahrung, die Stifter erkennen läßt, daß in jedem Leben das groß Erscheinende oft das Unbedeutende und Vergängliche ist, das zunächst Kleine und Unbeachtete sich aber als das Entscheidende und in Wahrheit Gewaltige erweist – ähnlich wie es bei den Naturgesetzen ist, die unsichtbar und unhörbar die Welt bewegen.
Sein Glaube an das Recht der Dinge bringt ihn zu einer Seinsfrömmigkeit, die ihren natürlichen Ausdruck in der Liebe zu allem Bestehenden findet, im Raum der Natur und des Menschlichen. Überall wirkt das »sanfte Gesetz«, zieht wie eine lange Kette der gewaltige, unaufhaltsame Strom der Geschichte.

Jutta Kayser 10, S. 28f.

*

So wie es in der äußeren Natur ist, so ist es auch in der inneren, in der des menschlichen Geschlechtes. Ein ganzes Leben voll Gerechtigkeit, Einfachheit, Bezwingung seiner selbst, Verstandesgemäßigkeit, Wirksamkeit in seinem Kreise, Bewunderung des Schönen, verbunden mit einem heiteren gelassenen Sterben, halte ich für groß: mächtige Bewegungen des Gemütes, furchtbar einherrollenden Zorn, die Begier nach Rache, den entzündeten Geist, der nach Tätigkeit strebt, umreißt, ändert, zerstört und in der Erregung oft das eigene Leben hinwirft, halte ich nicht für größer, sondern für kleiner, da diese Dinge so gut nur Hervorbringungen einzelner und einseitiger Kräfte sind, wie Stürme, feuerspeiende Berge, Erdbeben. Wir wollen das sanfte Gesetz zu erblicken suchen, wodurch das menschliche Geschlecht geleitet wird.

Stifter 10, S. 116

*

Alles dasjenige, das körperlich oder geistig Gestalt annimmt und damit in die Wirklichkeit eintritt, kann von Stifter als Ding bezeichnet werden. Es wird ihm zum Synonym für das Daseiende überhaupt. Immer aber ist es positiv oder wertneutral, sonst ist es eben ein Scheinding.

In einem jeden Ding in diesem umfassenden Sinn, der die Ordnung der Natur und die Geschichte der Menschheit mit einschließt, verehrt Stifter das göttliche Wirken, die göttliche Liebe, durch die allein jedes Ding besteht.

So kommt er zu der »heiligsten Scheu vor der Wirklichkeit der Tatsachen«, so werden ihm Pflanzen und Tiere »lieblich, ja ehrwürdig«, so wird ihm der andere Mensch zum »Kleinod«.

Jutta Kayser 10, S. 12f.

*

Es gibt nichts Großes und nichts Kleines. Der Bau des durch Menschenaugen kaum sichtlichen Tierchens ist bewundernswert und unermeßlich groß, die einfache Rundung des Sirius ist klein: der Abstand der Teilchen eines Stoffes und ihre gegenseitige Stellung und Bewegung kann in Hinsicht ihres Durchmessers so groß sein als der Abstand der Himmelskörper von einander. Wir Menschen heißen das uns Vergleichbare, das von uns Erreichbare groß; aber nichts ist uns völlig vergleichbar oder erreichbar, und alles ist groß, oder über alles können wir mit beschränkten Augen vergleichen und richten, und dann ist uns nichts wichtig und groß als wir – das Andere ist nur da.

Gott hat das Wort groß und klein nicht, für ihn ist es nur das Richtige.

Stifter 10, S. 123

*

Wir haben es nur scheinbar mit Kleinigkeiten, in Wirklichkeit aber mit den höchsten Kräften der Natur zu tun. So bilden wir uns ein, wir seien in schlechter Gesellschaft und lebten in tristen Verhältnissen, mit kleinlichen Schulden, Schusterrechnungen, zerbrochenem Glas, das bezahlt, und Töpfen, die gekauft werden müssen, mit Ausgaben für Fleisch, Zukker, Milch und Kohle. »Stellt mir eine große Aufgabe, ihr Götter, und ich will euch zeigen, wes Geistes Kind ich bin!« – »Nicht so«, spricht der weise Himmel, »ackert und pflügt, flickt eure alten Mäntel und Hüte, webt ein Schuhband. Große Dinge und der beste Wein kommen hinterher.« Das ist nur eine Phantasie, aber wenn wir in aller Demut ein Stück Band weben, so gut wir es vermögen, erkennen wir später, daß wir keine Baumwolle, sondern eine ganze Milchstraße gewirkt haben, und Zeit und Natur dienten als Kette und Schuß.

Emerson 25, S. 63f.

*

Der Reifen eines Rades wird
gehalten von den Speichen,
aber das Leere zwischen ihnen
ist das Sinnvolle beim Gebrauch.

Aus nassem Ton formt man Gefäße,
aber das Leere in ihnen
ermöglicht das Füllen der Krüge.

Aus Holz zimmert man
Türen und Fenster,
aber das Leere in ihnen
macht das Haus bewohnbar.

So ist das Sichtbare zwar
von Nutzen,
doch das Wesentliche
bleibt unsichtbar.

Lao-tse 31, S. 54f.

*

Fand er irgendwo Blumen in ganzen Gruppen beisammenstehen, so konnte er ihnen wohl eine Predigt halten und sie – ganz als ob sie's verstünden – zum Lobe des Herrn ermuntern. Aber auch Saatfelder und Weinberge, Steine, Wälder, herrliche Auen und rieselnde Quellen, grünende Gärten, Erde, Feuer, Luft und Wind – alle erinnerte er kindlich-reinen Herzens an die Liebe Gottes und ermahnte sie zu freudevollem Gehorsam. Er nannte alle geschaffenen Wesen seine Geschwister, und in einzigartiger Weise ging der Blick seines Herzens bis ins allerinnerste Geheimnis der Dinge hinein, das den Menschen sonst verschlossen ist: war er doch schon zur Freiheit der Kinder Gottes gelangt (Röm 8,21).

Nun lobt er dich im Himmel mit den Engeln, guter Jesus, dich, den Wunderbaren, den er schon auf Erden allen Geschöpfen als den Liebenswürdigen gepredigt hatte.

Thomas von Celano 15, S. 98

IM EINVERSTÄNDNIS MIT DEM GEHEIMNIS

Alles, was wir erfahren, ist eine *Mitteilung*. So ist die Welt in der Tat eine *Mitteilung* – Offenbarung des Geistes. Die Zeit ist nicht mehr, wo der Geist Gottes verständlich war. Der Sinn der Welt ist verloren gegangen. Wir sind beim Buchstaben stehen geblieben. Wir haben das Erscheinende über der Erscheinung verloren.

Novalis 2, S. 22

*

Wir suchen überall das Unbedingte, und wir finden immer nur Dinge.

Novalis 2, S. 24

*

Suchet und findet, und seid euch darüber klar, daß die Wahrheit nicht offen zutage liegt.

»Verborgene Worte Jesu« 14, S. 57

*

Es sind nicht die bunten Farben, die lustigen Töne und die warme Luft, die uns im Frühling so begeistern. Es ist der stille weissagende Geist unendlicher Hoffnungen, ein Vorgefühl vieler froher Tage des gedeihlichen Daseins so mannigfaltiger Naturen, die Ahndung höherer ewiger Blüten und Früchte, und die dunkle Sympathie mit der gesellig sich entfaltenden Welt.

Novalis 2, S. 26

*

Die Blüte ist das Symbol des Geheimnisses unsers Geistes.

Novalis 2, S. 24

*

Die Natur wäre nicht die Natur, wenn sie keinen Geist hätte.

Novalis 2, S. 22

*

Es wäre denkbar, daß die Natur das Erzeugnis eines unbegreiflichen Einverständnisses unendlich verschiedner Wesen ist, das wunderbare Band der Geisterwelt, der Vereinigungs- und Berührungspunkt unzähliger Welten.

Novalis 2, S. 23

*

Könntest du nur sehn, wie du mir erscheinst, welches wunderbare Bild deine Gestalt durchdringt und mir überall entgegen leuchtet, du würdest kein Alter fürchten. Deine irdische Gestalt ist nur ein Schatten dieses Bildes. Die irdischen Kräfte ringen und quellen, um es festzuhalten, aber die Natur ist noch unreif; das Bild ist ein ewiges Urbild, ein Teil der unbekannten heiligen Welt.

Novalis 2, S. 56

*

Alle Wahrheit ist uralt.

Novalis 2, 28

*

Wir sind mit dem Unsichtbaren näher als mit dem Sichtbaren verbunden.

Novalis 2, S. 29

*

Wär' nicht das Auge sonnenhaft,
Die Sonne könnt' es nie erblicken;
Läg' nicht in uns des Gottes eigne Kraft,
Wie könnt' uns Göttliches entzücken.

Goethe 6, S. 79

*

Wenn ich innere Vorgänge erklären will, so erscheint mir hierfür kein Bild so geeignet wie das des Wassers. Ungebildet und wenig begabt, wie ich bin, bin ich eine große Freundin dieses Elements, das mir unter den Dingen der Natur am meisten bedeutet. Unser großer und weiser Gott hat ja in alle Dinge, die er schuf, tiefe Geheimnisse gelegt, aus deren Erkenntnis wir lernen können. Allerdings glaube ich, daß letztlich jedes von Gott geschaffene Ding unsere Erkenntnis übersteigt, und handele es sich auch nur um eine kleine Ameise.

Teresa von Avila 12, S. 46

*

Gilgamesch hat seinen Freund Enkidu durch den Tod verloren. Da faßt er den Plan, »das Geheimnis der Unsterblichkeit zu ergründen und sie für sich zu gewinnen«. Auf dieser Suche packt ihn die Angst vor seinem eigenen Tod: »Was soll ich noch tun? Wo soll ich noch hingehen? Der Tod ist in mir. In meinem Schlafgemach sitzt der Tod. Wohin ich auch gehen mag, immer ist bei mir der Tod.« Schließlich gewinnt er das Stechkraut, von dem es heißt: »Wenn du dieses Gewächs heraufholst, wirst du das Leben finden.« Aber als er in einem Brunnen badet, wird ihm das Stechkraut geraubt:

Als er aus dem Brunnen stieg, gerann ihm das Blut in den Adern. Er sah, daß eine Schlange das Lebenskraut auf dem Brunnenrand mit dem Maul ergriffen hatte und es gerade verschlang. Gilgamesch stürzte sich auf sie, ihr die Beute abzujagen, doch die Schlange entkam. Er verfolgte sie und gerade, als er die Hand ausstreckte, sie zu ergreifen, geschah etwas Seltsames. Die Schlange entwand sich ihrer Haut, schlüpfte verjüngt und glänzend aus dem alten Schlauch und verschwand. Gilgamesch hielt die leere Schlangenhaut in seiner Hand. Er schrie laut auf und stand dann wie versteinert in seinem Schmerz.
Als sich seine Erstarrung löste, vernahm er eine Stimme in seinem Herzen: »Gilgamesch, *das* Leben das *Du* suchst, das wirst Du nicht finden!« Und er begriff. Welches Leben hatte er gesucht? Die ewige Jugend hatte er gesucht, das Unveränderliche, Blei-

bende. Welch einen Weg war er dafür gegangen? Wie viele Wandlungen hatte er durchgemacht? Plötzlich erkannte er, daß er mehr war als die Schlange, daß die Verwandlung, die sich an ihm vollzogen hatte, nicht die äußere Hülle, sondern ihn selbst betraf, seine Seele, sein Wesen, das verwandelt doch er selbst blieb, und daß dies das eigentliche Leben war. Es erschien ihm nicht mehr erstrebenswert, immer gleich in ewiger Jugend dahinzuleben. Er begriff, daß so, wie er durch den Schlaf gegangen und verwandelt er selbst geblieben war, er auch durch den Tod gehen würde, verwandelt und doch er selbst in einer neuen Daseinsform. Er fürchtete den Tod nicht mehr und wußte nun auch, daß er dann mit seinem Freund Enkidu wieder vereint sein würde.

Keilschriftliche Überlieferung 4, S. 143 f.

*

Gewiß: jenseits ist Schweigen. Aber dennoch geht nichts, was wir hier denken, sprechen, verloren. Wie der Same da ist und dem Leben neuen Weg gibt. Unser Haus wird zum Jenseits hin durchsichtig. Wir haben alles, was uns in der Zeit und im Raum zukam, in uns selber. Ist das alles aber nur Zukunftsmusik, im Sinne von ›eventuell nach dem Tode‹? Hier, Freunde, glaube ich, kann ich euch doch einen großen, wirklichen Trost bringen. Denn indem ich es euch erzähle, wird mir, was ich erzähle, auch zuteil. Das Wort ist wirklich göttlich! Denn mit den Lauten kommt das Schweigen mit. Und im Schweigen meldet sich die Nachricht, daß alles, was da verlauten wird, wirklich alles, schon jetzt, in unserem Leben ist. Jawohl, Tod, aber auch Leben, aber auch Auferstehung. Wir legen uns schlafen, und der Schlaf ist, wie wir sagen, ein Sechzigstel des Todes. Und wir erwachen, und das ist schon ein Bild der Auferstehung. Es ist alles schon in uns da: Das gelobte Land, der Garten Eden wie auch Ägypten und der Weg aus der Gefangenschaft, aus dem Zwang, in diese helle, glückliche, mächtige Freiheit. Kennen wir das alles nicht schon längst? Sind wir nicht imstande, zu lieben, uns hinzugeben, unserem Nächsten, aber auch dem, der uns böse ist? *Glauben* wir nicht, obschon wir meistens sehr enttäuscht werden? Wir ›glauben‹, weil in uns eben dieses Rätselhafte ist, daß wir im Grunde alles längst wissen, ›wissen‹, daß es gut ist. Wir hoffen, und es tritt nicht ein, was wir hofften, und doch hoffen wir weiter. Weil im Bereich des Schweigens, wo unser Denken schweigt, es doch klar ist, daß alles Liebe ist, daß aber die ›Hauptsache‹ sich nicht *zeigt*. Weil sie eben so herzensgerne geliebt werden möchte. Nicht *weil* sie es verdient, sondern *trotzdem,* sogar, wenn nichts ›stimmt‹ – geliebt umsonst und trotzdem.

Das Diesseits ist ähnlich da wie die mechanisch hörbaren Töne. Und das Jenseits, im Vergangenen wie im Kommenden, das sind die Obertöne und alles, was mitschwingt, und zwar nicht akustisch gehört, aber doch empfunden wird.

Man war still, heiter und gelassen. Es war, als ob mehrere Vorhänge weggezogen worden wären. Die Mahlzeit war zu Ende. Bei jedem war ein Rest übriggeblieben, und man wußte, das sei gerade gut. Die

Welt geht weiter. Und jetzt sprach Elimelech, der das Gespräch der Mahlzeit angefangen hatte: »Freunde, wir wollen segnen.« Und alle fielen ein, und man dankte dem Herrn, der die ganze Welt mit Güte, mit Liebesgunst, mit Gnade und Barmherzigkeit speist.

Friedrich Weinreb 33, S. 154ff.

JENSEITS DES NENNBAREN

Etwas Geheimnisvolles,
im Sein und Nichtsein vereint,
ohne Anfang entstanden,
  vor Himmel und Erde.
Allein, unwandelbar,
immer gegenwärtig, immer bewegt.
Vielleicht ist es die Mutter aller Dinge.
Ich weiß nicht, weiß nicht den Namen.
  Ich nenne es Tao.
Mich mühend, seine Art zu beschreiben,
nenne ich es »groß«.
Groß ausschreitend zu den fernsten Fernen,
urgewaltig. Und doch auch zum
  Kleinsten in sich
  zurückkehrend …

Lao-tse 31, S. 31

*

Man erzählt sich die Parabel von dem Mann, der übers Meer schaute, das jenseitige Ufer suchend, schaute und es nicht fand. Eines Tages verließ er sein Haus und seine Familie, ohne Worte des Abschieds,

nahm das Boot eines Fischers und ruderte durch die Brandung aufs Meer hinaus. Wenn ich bis zum Horizont gerudert bin, dachte er, dann werde ich das jenseitige Ufer sehen. Hinter dem Horizont, dort muß es liegen! Kraftvoll ruderte er, selbstvergessen in seiner Anstrengung, und blickte nicht einmal um. Der Horizont lag klar und dünn vor ihm und erschien gar nicht so weit. Die Wellen hoben und senkten das kleine Boot, der Mann wurde von Gischt bespritzt, er schmeckte Salz im Mund. Und er hoffte, daß der Horizont näher komme, hoffte, ihn zu überqueren, um das andere Ufer zu erreichen. Bis zum Mittag war er gerudert. Die Hitze der Sonne und die Gewalt der Wellen erschöpften seine Kräfte, doch der Horizont lag dünn und klar in gleicher Weite vor ihm.
Da fühlte er Furcht aufsteigen, und er blickte zurück, um das bekannte Ufer zu sehen, von dem er aufgebrochen war. Ein Schreckensblitz durchfuhr den Mann, als er kein Ufer mehr sah. Statt des bekannten Ufers mit seinen Palmen und Fischerhütten, war nur Horizont – auch rückwärts nur Horizont in gleicher Weite, rundum nur Horizont, der nicht näher kommt.
Als er in seinem Boot saß, vom schwankenden Wasser umgeben und der heftigen Sonne schutzlos ausgesetzt, da stieg aus dem Herzen seines Schreckens eine Erkenntnis. Ihm war, als sei er plötzlich von einem langen Schlaf wachgeworden. Er zog seine Ruder ins Boot. Es gab kein Zurück mehr, er hatte die Richtung verloren. Er war in der Unendlichkeit verloren – und erfüllt vom Geheimnis der Unendlichkeit, so machtvoll erfüllt, daß seine Furcht dagegen blaß war. Es gab keine Fragen mehr.

Seine Sehnsucht war gestillt, seine Hoffnung erfüllt. Hatte er, umgeben vom Geheimnis der Unendlichkeit, nicht gesehen, was es zu sehen gibt?

Martin Kämpchen 9, S. 43

*

Die Erkenntnis ist ein Mittel, um wieder zur *Nichterkenntnis* zu gelangen.

Novalis 2, S. 29

*

Du bist und bist auch nicht. Du bist, weil durch dich ist,
Was ist; und bist nicht, weil du das, was ist, nicht bist.

Du bist das Seiende und das Nichtseiende,
Seingebende und von dem Sein Befreiende.

Du bist einfaches Licht, und siebenfache Farben
Sind Welten, die durch dich den Schein des Seins erwarben.

Durchs Licht erscheinen sie, das Licht nicht sind die Farben,
Im Lichte sind sie dann, wann sie im Scheine starben.

Du bist einfacher Ton, die siebenfachen Saiten
Der Weltenleier sind's, die dich mit dir entzweiten.

Du bist der Grundton, der in sieben Strahlen träuft
Die Leiter nieder- und zurück zum Anfang läuft.

Du selber bist der Laut und bist der
Lautenschläger,
und alle Schwingungen der Seele deine Träger.

Du bist des Morgens Hauch, du bist des Abends
Luft,
Du bist des Frühlings Strauch, du bist des Herbstes
Duft.

Du bist's und bist es nicht, du bist wie Tag und
Jahr,
Der Kreis, der in sich kreist, unwandel-wandelbar.

Das Rätsel staun' ich an und will es lösen nicht,
Weil sich die Lösung in mein eignes Sein verflicht.

Du, Wunderbarer, gabst mir Lust am
Wunderbaren;
Mich, Ewigklarer, labst du mit dem Dämmerklaren.

Rückert 18, S. 48

IM LEBENSKREIS DER ARMEN

Beim Umgang mit armen Menschen habe ich eine Beobachtung gemacht. Wer diesen oder jenen Menschen genauer kennenlernt, ihn zu schätzen und zu lieben beginnt, der vergißt, ihn als »Armen« zu bezeichnen. Man kann nicht einen »Armen« lieben, sondern nur Gopāl, Subāsh oder Bimal – die einzelne Persönlichkeit, die plötzlich viel »mehr« ist als »arm«, nämlich ein Mensch mit vielfältigen Eigenschaften. Die Liebe zu einem Menschen, der arm ist, erweist sich, wenn sie voll wird, als eine Liebe zu Gottes Geschöpf. Alle anderen Eigenschaften, Lebenssituationen schwinden neben diesem Licht. Die Werke aber, welche dieser Liebe entspringen, richten sich wie selbstverständlich auf den Mangel der geliebten Menschen: Der Hungrige wird gespeist, der Nackte bekleidet, der Gefangene empfängt Besucher ...

Das schönste Ergebnis dieser Meditationen über die Armen wäre, wenn der Leser bis zu diesem Wesensgrund dringen könnte: im Armen eine Persönlichkeit erblickte und ihn als Geschöpf Gottes lieben lernte. Unterscheidende Worte wie »arm« und »reich« sind zwar zur Beschreibung einer materiellen menschlichen Situation notwendig, zumal wenn diese Situation ungerecht ist und Veränderung braucht, doch wird sie nach einer bestimmten Stufe menschlicher Annäherung zur Barriere. Schließlich möchten wir die »Armen« nicht als »Reiche« kennenlernen und lieben, sondern – als Liebende. Dann erst sind Gemeinschaft und Austausch möglich. Denn auch wir sind in dieser oder jener Weise »arm«, etwa arm an Gefühl, an Verständnis, an Vater-, Mutter- oder Geschwisterliebe; und der »Arme« besitzt seinen eigenen Reichtum, etwa seine Einfachheit, Naturverbundenheit, Spontaneität. Daß die »Armen« uns beschenken können, das ist die sichtbare Hoffnung, welche sie für uns besitzen. Wenn das kleine Buch diese zwei Absichten erfüllen kann – das Verständnis für die »Armen« als Geschöpfe Gottes wecken und ihren eigenen Reichtum, der uns fehlt, lebendig vor Augen stellen – dann ist viel erreicht, und es würde auch Anstoß zu den Werken der Liebe sein.

Martin Kämpchen 9, S. 9f.

*

Ich arbeitete mit meinen Händen und will weiter damit arbeiten; und ich will entscheiden, daß alle anderen Brüder ebenso arbeiten, wie es sich ziemt. Die es nicht können, sollen es lernen – nicht aus Sucht, für solche Arbeit einen entsprechenden Lohn zu erhalten, sondern um des guten Beispiels willen und um den Müßiggang zu vertreiben. Und wenn man uns einmal keinen Lohn für die Arbeit gibt, so laßt uns zu Gottes Tisch unsere Zuflucht nehmen, indem wir von Tür zu Tür um Almosen bitten.

Der Heilige Franziskus in seinem Testament 15, S. 52

*

Franz liebte die Armut, nicht die »Not«. Wo nur noch Qual der Entbehrung fühlbar ist und sonst nichts, ist »Herrin Armut« fern, der Franziskus sein Leben geweiht und in deren Dienst er die »große Freude« gefunden hat. Wenn er nicht *hatte,* was jedermann normalerweise besitzt oder besitzen will, so *brauchte* er doch nicht, was er nicht hatte: und das erfüllte ihn mit einem elementaren Gefühl der Freiheit. Dem Menschen in *Not* dagegen fehlt, was er (existentiell!) *braucht:* von daher das so peinigende Gefühl, daß seine Bedürfnisse ungestillt bleiben, daß er »frustriert«, beraubt, enterbt, beengt, geknebelt, behindert, »unfrei« ist.
Nein: *Not* hat Franziskus nie gepriesen oder glorifiziert. Wo wirklich einmal Not einreißt, soll ihr schleunigst abgeholfen werden. Was also, wenn das tägliche Brot fehlt? Sagt Franziskus, dann könne man ruhig zur »Sozialfürsorge« gehen? Natürlich nicht, so etwas gab es ja damals noch nicht. Statt zur Sozialfürsorge ging man *betteln.* Aber das ist doch etwas anderes? Ja – aber nach Meinung des heiligen Franz in durchaus *positivem* Sinn.
Betteln war für ihn so etwas wie der »Heiligenschein« der »heiligen Armut« – in dem ihr verborgenes himmlisches Licht einen Hauch von Sichtbarkeit gewinnt.
Dabei war Betteln in der Lebensordnung der Brüder keineswegs bequemer Ersatz für die Mühsal der Arbeit. Von Nichtstuern wollte Franziskus nichts wissen. Wer aber ums tägliche Brot zu arbeiten bereit ist, der darf, wenn's dann doch nicht reicht oder sonstwie Not einreißt, sich an die freigebige Güte Gottes hal-

ten, denn *das* bedeutet »betteln« in den Augen des Franziskus. Alles nämlich, was aus Mitgefühl einem Armen gegeben wird, kommt aus einer Liebe, die letztlich von Gott ist. Darum ist das freiwillig, »ungeschuldet« dem Bedürftigen Gegebene ein *Gottesgeschenk:* kostbarer in den Augen des Franziskus als alles selbst Erarbeitete. Umgekehrt: weil Almosen somit die den Darbenden gehörenden Gottesgaben sind, darf man nur in wirklicher Not betteln gehen, um nicht zu mindern, was ausschließlich für die wirklich Not-Leidenden bestimmt ist.

Thomas und Gertrude Sartory 15, S. 14f.

*

Der Bischof von Assisi, zu dem der Mann Gottes häufig Rat holen ging, nahm ihn immer gütig auf; doch sagte auch der Bischof zu ihm: »Euer Leben erscheint mir hart: nichts Irdisches zu besitzen ist schwer.« Darauf sprach der Heilige: »Herr, wollten wir etwas besitzen, so müßten wir auch Waffen zu unserer Verteidigung haben. Daher kommen ja die Streitereien und Kämpfe, die die Liebe zu Gott und zum Mitmenschen hindern. Darum wollen wir in dieser Welt nichts Irdisches besitzen.«
Dem Bischof gefiel die Antwort des Gottesmannes sehr. Tatsächlich verachtete Franz alles Vergängliche – und am allermeisten das Geld, weswegen er in allen seinen Regeln besonders die Armut betonte und den Brüdern vor allem ans Herz legte, sich nicht mit Geld zu befassen.

Dreigefährtenlegende 15, S. 50

*

Es war bei Colle in der Grafschaft Perugia, da begegnete Franz einem Armen, den er früher in der Welt gekannt hatte. »Wie geht es dir, Bruder?« fragte er ihn. Sogleich geriet dieser in Wut und erging sich in Beschimpfungen gegen seinen Grundherrn: »Dem habe ich's zu danken – verflucht sei er! –, daß es mir schlecht geht; er hat mir alles genommen, was ich hatte!«

Da der Heilige sah, wie jener in tödlichen Haß verbohrt war, wenn auch nicht ohne gute Begründungen, sprach er voll Mitleid mit dessen Seele:

»Bruder, vergib deinem Herrn um Gottes willen, auf daß du innerlich frei werdest! Dann wird er dir möglicherweise wieder zurückerstatten, was einmal dir gehörte. Sonst hast du dein Eigentum verloren und wirst auch noch deine Seele verlieren.« Der andere aber sprach: »Nein, ich kann nicht verzeihen – erst muß er mir wiedergeben, was er mit genommen hat!«

Darauf erwiderte der heilige Franz: »Da, nimm meinen Mantel, und um Gottes willen, ich bitte dich, vergib deinem Herrn!«

Da ward dessen Herz erweicht. Die Güte, die ihm zuteil geworden, rührte ihn, und er verzieh seinem Herrn das erlittene Unrecht.

Spiegel der Vollkommenheit 15, S. 67

*

Als der selige Franz seine ersten Brüder gewonnen hatte, freute er sich gar sehr über ihren neuen Wandel und daß der Herr ihm eine gute Gesellschaft gegeben hatte. Und er liebte sie so und begegnete ihnen mit solcher Zartheit, daß er sie nicht aufforderte, auf Al-

mosenbettel zu gehen. Denn er hatte den Eindruck, sie würden sich dessen schämen; und darum nahm er auf ihre Empfindsamkeit Rücksicht und ging täglich allein aus, um milde Gaben zu erbitten.
Dabei wurde er freilich recht müde; war er doch in der Welt ein verwöhnter junger Mann gewesen; auch war er von schwächlicher Natur, und obendrein hatte ihn das Übermaß von Enthaltung und Buße doch sehr geschwächt. So mußte er sich sagen, daß er die Anstrengung nicht weiter allein zu tragen vermöge. Darum sprach er zu ihnen:
»Meine lieben Brüder, meine Kindlein, ihr sollt euch nicht scheuen zu betteln! Denn der Herr hat sich für uns arm gemacht in dieser Welt, und nach seinem Beispiel haben wir die wahrhafte Armut erwählt. Das ist unser Erbe, und das hat unser Herr Jesus Christus uns erworben und hinterlassen – uns und allen, die nach seinem Beispiel in der heiligen Armut leben wollen. Wahrlich, ich sage euch, viele vornehme und hochgesinnte Menschen der Welt werden sich unserer Gemeinschaft anschließen und es für eine große Ehre und Gnade erachten, Almosen zu erbitten. Darum gehet zuversichtlich und heiteren Herzens auf diesen Gang, und Gott wird euch segnen! Ihr werdet denen, die ihr um eine irdische Gabe bittet, die Liebe Gottes bringen, und ihr saget ja auch zu ihnen: ›Aus Liebe zu Gott gebt uns ein Almosen!‹ Und diese Liebe ist mehr wert als Himmel und Erde.«

Spiegel der Vollkommenheit 15, S. 47f.

*

Als die selige Synkletika gefragt wurde, ob die Besitzlosigkeit ein vollkommenes Gut sei, antwortete sie: »Ganz vollkommen für die, die sie ertragen können. Denn die sie aushalten können, haben zwar dem Fleische nach Bedrängnis, doch in der Seele Ruhe. Wie die groben, festen Kleider beim Waschen mit Füßen getreten und kräftig herumgeschüttelt werden, so wird auch die starke Seele durch die freiwillige Armut zu noch größerer Anstrengung fähig.«

»Worte der Väter« 20, S. 88

*

Ein Bruder besuchte einen Altvater und sprach: »Mein Vater, erweise mir die Liebe und gib mir eine gute Lehre, was ich in meiner Jugend sammeln soll, um es im Alter zu besitzen.« Der Altvater antwortete ihm: »*Entweder erstrebe Christus und denke nur an ihn, oder sammle Geld, damit du nicht zu betteln brauchst;* es ist deine Sache, ob du Gott zum Herrn wählst oder den Mammon.«

»Worte der Väter« 20, S. 87

*

Sei wie ein leeres Gefäß. Gib dich selbst ganz her. Gehe ganz zu Gott über. Vergiß, für dich selbst zu leben und vergiß, für dich selbst zu sterben. Lebe und stirb für den, der für dich gestorben und auferstanden ist.

Alfred von Rievaulx 26, S. 32

DER HIMMEL
LIEBT DIE ERDE

Im Anfang –

Da war weder Sein noch Nichtsein;
nicht war Luft, noch ein Himmel darüber.
Gab es etwas, das verborgen lag, und wo?
Unter welcher Hülle?
Gab es Wasser dort, unermeßlich tief?

Nicht war Tod oder Unsterblichkeit;
von Tag und Nacht kein Anzeichen.
Das Eine atmete ohne Atemluft aus eigenem
  Antrieb.
Nur Das, nichts sonst war.

Rig-Veda X, 129,1–2

*

Das Eine erzitterte, rührte sich. Durch Bewegung entstand Glut, Energie, die uranfängliche Energie der Schöpfung. Die Energie war die Inbrunst der Liebe, die zu erschaffen begehrte, sich zu entfalten suchte vom Einen in die Vielfalt. Und in diesem Liebesbegehren nach Schöpfung ist alles geschaffen worden. Wie ist alles entstanden; wer hat es gewollt? Aus dem Einen Mysterium wurde die Schöpfung geboren.

Martin Kämpchen 8, S. 18

*

Kabir erwägt und sagt: Jener,
der weder Kaste noch Heimat besitzt,
der ohne Form und Eigenschaft ist,
erfüllt das All.
Der Schöpfer erschuf das Spiel der Freude:
und vom Worte OM entsprang die Schöpfung.
Die Erde ist Seine Freude; Seine Freude ist der Himmel;
Seine Freude ist das Leuchten der Sonne und des Mondes;
Seine Freude ist der Anfang, die Mitte und das Ende.
Seine Freude ist Augen, Dunkel und Licht.
Meere und Wellen sind Seine Freude: Seine Freude
die Sarasvatī, die Jamunā und die Gangā.
Der Guru ist Eins: und Leben und Tod,
Vereinigung und Trennung sind alle Seine Spiele der Freude!
Sein Spiel das Land und Wasser, das ganze Universum!
Sein Spiel die Erde und der Himmel!
Spielend wurde die Schöpfung entfaltet,
spielend erbaut.
Die ganze Welt, sagt Kabir, ruht in Seinem Spiel,
und doch, der Spieler bleibt unerkannt.

Kabir 7, S. 136

*

War es der Himmel, der zuerst ist erschaffen worden,
oder war es die Erde?
Die Weisen sind sich darin nicht einig. Die einen

sprechen: Der Himmel ist zuerst erschaffen worden und danach die Erde; daher heißt es auch: *»Im Anfang schuf Gott den Himmel und die Erde.«* Die anderen aber meinen, erst sei die Erde, danach der Himmel erschaffen worden, wie es auch heißt: *»Du hast vormals die Erde gegründet, und die Himmel sind Deiner Hände Werk.«* Also brach darüber ein Streit unter den Weisen aus, bis dann über sie eine göttliche Eingebung kam, und sie wurden inne, daß beide, der Himmel und die Erde, in der gleichen Stunde und in einem Augenblick erschaffen worden sind. Wie aber stellte es der Herr an? Ja, er reckte seine Rechte und spannte den Himmel aus, er reckte die Linke und gründete den Erdboden. Auf einmal waren sie beide da, der Himmel und die Erde.

Altjüdische Überlieferung 17, S. 35

*

Die Tora stellt die Verbindung her – zwischen der strudelnd dahinschießenden Zeit und dem bleibenden Grund der Ewigkeit, zwischen dem kleinen Menschenleben und der großen kosmischen Ordnung (was eine der Funktionen der Heiligen Feste ist), zwischen der Erde und dem Himmel.
Daß Himmel und Erde aufeinander bezogen, in einer geheimnisvollen Entsprechung zueinander stehen, daß sie untrennbar zusammengehören, ein einziges Ganzes sind: das ist der Kern der Tora. »Im Anfang schuf Gott Himmel und Erde!« Es klingt wie ein einziger Bogenstrich, und müßig ist es zu fragen, ob dem Schöpfer Himmel oder Erde mehr am Herzen liegt. Zwar gibt es eine Stufenordnung der Geschöpfe, und

das Tier ist nicht Mensch und der Mensch kein Engel. »Unten« ist nicht »oben« und »oben« nicht »unten«: aber nur beides zusammen – unten und oben – ist das *eine* Werk, das ER gemacht hat. Natürlich ist ein Unterschied zwischen Mensch und Tier – aber zwischen der Not des einen und der Not des anderen wird ein mitfühlendes Herz keinen Trennungsstrich ziehen. Und natürlich ist ein gewaltiger Rangunterschied zwischen Engel und Mensch – aber in vielen jüdischen Geschichten fällt auf, wie menschenähnlich der Engel erscheinen und wie nahe ein Mensch den Engeln kommen kann.

Sartory 17, S. 21

*

Gott schuf den Himmel und die Erde, und es waren ihm beide gleich lieb. Aber die Himmel sangen und rühmten die Ehre Gottes, und die Erde war betrübt und weinte und sprach vor dem Herrn: O Herr der Welt! Die Himmel weilen in Deiner Nähe und ergötzen sich an dem Glanz Deiner Herrlichkeit; auch werden sie von Deinem Tisch gespeist, und nimmer kommt der Tod in ihr Reich, daher singen sie; mich aber hältst Du fern von Dir, meine Speise gabst Du in des Himmels Hand, und was auf mir ist, ist dem Tode geweiht; wie sollte ich da nicht weinen?
Da sprach der Herr: Es soll dir nicht bange sein, du Erde, dereinst wirst auch du unter den Singenden sein, und Lobgesänge werden von deinem Ende erschallen.

Altjüdische Überlieferung 17, S. 35f.

*

Der Herr schuf den Menschen, daß er seinen Garten baue und bewahre; Er wollte ihm eine Gehilfin geben, damit er sich vermehre und die Erde erfülle.
Als aber die Erde Gottes Rede vernahm, erzitterte sie und sprach vor ihrem Schöpfer: O Herr aller Welten! nicht wird meine Kraft dazu reichen, die Menschenherde zu speisen. Da sprach der Herr: Ich und du, wir wollen beide die Menschenherde ernähren.
Und sie teilten ihre Arbeit untereinander, der Herr nahm auf sich die Nacht und gab der Erde den Tag.
Was tat der Herr? er schuf den Schlaf; der Mensch liegt da und schläft die Nacht über, und der Schlaf ist ihm Speise und Heil, Leben und Erquickung. Die Seele, so heißt es, füllt den Leib des Menschen aus, aber in der Stunde, da der Mensch schläft, steigt sie zum Himmel empor und schöpft ihr Leben von oben.
Der Erde aber steht der Herr bei und tränkt sie mit Regen; sie trägt Frucht und gibt Speise allen Geschöpfen.

Altjüdische Überlieferung 17, S. 37

*

Den liebe ich nicht, der nicht schläft, spricht Gott.
Der Schlaf ist der Freund des Menschen.
Der Schlaf ist der Freund Gottes.
Der Schlaf ist vielleicht meine schönste Schöpfung.
Und ich selbst ruhte am siebenten Tage.
Wessen Herz rein ist, der schläft. Und wer schläft,
hat ein reines Herz.
Das ist das große Geheimnis, nie müde zu sein wie
ein Kind.
Wie ein Kind diese Kraft in den Sehnen zu haben.

Diese neuen Sehnen, diese neuen Seelen.
Und alle Morgen von vorn zu beginnen, immer neu.

Péguy 13, S. 96

*

Arme Kinder, sie folgen der menschlichen Weisheit.
Die menschliche Weisheit spricht: Überlaßt nicht dem morgigen Tage,
Was ihr heute noch tun könnt.
Ich aber sage euch: Wer es versteht, dem Morgen zu überlassen,
Der ist Gott am wohlgefälligsten.
Wer wie ein Kind schläft,
Der schläft auch wie meine liebe Hoffnung.
Und ich sage euch: Überlaßt nur dem morgigen Tage
Jene Sorgen und Leiden, die euch heute zernagen
Und die euch heute verzehren könnten.
Überlaßt dem Morgen das Schluchzen, das euch erstickt,
Wenn ihr das heutige Unglück gewahrt.
Dieses Schluchzen, das in euch aufsteigt und das euch würgt.
Überlaßt nur dem Morgen die Tränen, die Augen und Kopf euch erfüllen.
Die euch überschwemmen. Euch niederfallen. Die euch rinnen, die Tränen.
Denn zwischen heute und morgen bin ich, Gott, vielleicht an euch vorübergegangen.

Péguy 13, S. 98f.

*

Warum hat Christus die Gnade des Geistes Wasser genannt? Alles besteht nämlich aus Wasser, das Wasser bringt Pflanzen und Tiere hervor, das Wasser kommt im Regen vom Himmel herab. In einer einzigen Form kommt es zwar herab, auf verschiedene Art aber wirkt es. Ein und dieselbe Quelle ist es zwar, welche den ganzen Garten bewässert, und ein und derselbe Regen ist es, welcher auf die ganze Welt herabkommt. Aber weiß wird er in der Lilie, rot in der Rose, dunkelgelb in den Levkoien und Hyazinthen; in bunter Verschiedenheit zeigt er sich in den verschiedenartigen Dingen. Anders ist er in der Palme, anders im Weinstock. In allem ist er alles, obwohl er nur von *einer* Art und in sich selbst nicht verschieden ist. Nicht ändert sich der Regen und kommt bald so, bald anders hernieder, sondern er richtet sich nach der Beschaffenheit der Dinge, die ihn aufnehmen, und wird für das einzelne Ding das, was ihm entspricht.
So ist auch der Hl. Geist zwar nur *einer* und von *einer* Art und ungeteilt, aber er weist jedem die Gnade zu, wie er will.

Kyrill von Jerusalem 32, S. 99

*

Der Himmel liebt die Erde – Gott ist menschenfreundlich: diesem Gedanken begegnen wir in ostchristlicher Philosophie, Theologie, Liturgie und Dichtung auf Schritt und Tritt. Die beglückende Erkenntnis des Apostels Paulus, daß in Jesus von Nazareth die »Philanthropie Gottes« erschienen sei, wurde gerade im östlichen Christentum nie vergessen. »Denn Er ist gut und menschenfreundlich« – mit diesem Satz enden alle orthodoxen Gottesdienste. Es geht um den Menschen, es geht *nur* um den Menschen. Im nachhinein wird der Mensch vielleicht feststellen, daß es um mehr geht. Aber wie in der Geschichte der Menschheit das ptolemäische, geozentrische Weltbild die Ersterfahrung war, aus der danach die kopernikanische Erkenntnis erwachsen konnte, so ist im Menschenleben der Ausgangspunkt aller Erfahrung der Mensch selbst, von der ausgehend und auf ihr aufbauend die Zweiterfahrung: die des Ganzen und Überganzen hinzukommt.

Ostchristliches Denken ist ein ständiges Bogenschlagen vom ptolemäischen zum kopernikanischen System. Es erhält dadurch etwas Dynamisches, Bewegungsvolles, Lebendiges. Das Ganze trägt ständig die Frische der Entdeckung. Selten wird vom Ganzen her geredet, nie wird deduziert. Wenn aber ja, dann: bewundernd, staunend. Stets klingt mit, daß der Mensch in seiner Ptolemais die umwerfende, freudeerfüllende – evangelische – Entdeckung macht, daß er nicht allein ist, daß er in einem Gefüge von Beziehungen steht, daß diese Beziehungen – trotz möglicher Scheußlichkeit und Bosheit – im letzten einen Sinn haben und daß über allem – mehr noch: in allem – ein Unaussprechliches waltet, dem sich anzuvertrauen Seligkeit ist.

Archimandrit Irenäus Totzke 32, S. 7f.

DAS WUNDERBARE IST DAS WAHRE

Wahr ist das Wunderbare darum, weil es eine höhere oder je nach Standpunkt tiefere Wahrheit über die Welt enthüllt: nicht das Chaos hat das letzte Wort, sondern die Ordnung, nicht das Böse, sondern das Gute, nicht das Heil-lose, sondern das Heilsame, nicht die Lüge, sondern die Wahrheit, nicht das Häßliche, sondern das Schöne, nicht der Haß, sondern die Liebe, nicht der Verrat und die Untreue, sondern die Treue, nicht der Schein, sondern das Sein, nicht die Sinnlosigkeit der Welt, sondern ihre Sinnhaftigkeit.

Monika Christians 5, S. 15f.

*

Das Wunderbare ist kein besonderer Bereich, keine höhere Seinsstufe oder eine Überhöhung der Realität des Märchens, die ab und zu erreicht würde, sondern das Wunderbare ist allgegenwärtig, so selbstverständlich wie die Luft zum Atmen. Das Wunderbare ist die Alltagswelt des Märchens, das Lebenselement, in dem die Märchenhelden sich bewegen, kurzum, die Welt des Märchens: das ist das Wunderbare.

Monika Christians 5, S. 14

*

Das Märchen nimmt die Welt ernst. Sie ist ganz und gar nicht eine heile Welt. In ihr passieren Miß-Geschicke und Un-Glücke, in ihr geschehen Tod, Krankheit, Leid, Hunger und all das, was sich Menschen einander antun. Unerhörte Verbrechen kennt das Märchen.

Monika Christians 5, S. 18

*

Die Welt des Märchens ist also ganz und gar keine heile Welt, aber sie ist *heilbar.*
Die Dialektik, den Grundwiderspruch, zwischen dem, was ist, und dem, was sein sollte, löst das Märchen nicht dadurch auf, daß es einfach das Böse leugnet, sondern es erzählt davon, daß die Wurzeln des Guten *tiefer* reichen als die Wurzeln des Bösen. Das Böse mag noch so real sein, sein Wurzelwerk mag noch so stark sich verästelnd und verklammernd dem Erdreich verbinden; die Wurzeln des Guten erreichen eine andere Tiefenschicht: den Grund der Wahrheit über diese Welt. Mit der Kraft des Wunderbaren durchbricht das Wahre den Zwang der Wirklichkeit, und so können die Wurzeln des Bösen ausgerissen, ausgerottet werden. (All die strengen Strafen und Bestrafungen im Märchen erhalten von hier ihre Rechtfertigung.) Die Welt des Märchens ist nicht so, wie sich die Welt unseren Alltagsaugen darbietet, auf deren Nüchternheit und realistischen Klarblick wir – vielleicht ganz zu Unrecht – so stolz sind, sondern sie offenbart ein verborgenes oder vielleicht nur in Vergessenheit geratenes Geheimnis.

Monika Christians 5, S. 19

*

Nicht weit von der Stadt Oxyrhynchus in der Thebais, wo es der Wüste zugeht, sahen wir einen andern heiligen Mann. Theon hieß er. Er lebte völlig einsam in seiner Zelle eingeschlossen und soll dreißig Jahre lang völliges Stillschweigen gewahrt haben. Er wirkte so viele Wunder, daß man ihn für einen Propheten hielt. Täglich zog eine ganze Schar von Kranken zu ihm; er streckte die Hand durch das Fenster, legte sie den Kranken aufs Haupt, segnete sie und schickte sie gesund und von ihren Plagen befreit wieder heim. So ehrwürdig sah er aus, sein Antlitz flößte so viel Ehrfurcht ein, daß er wie ein Engel in menschlicher Gestalt aussah; dabei war er heiter und fröhlich, und die göttliche Gnade strahlte aus seinen Augen.
Kurz zuvor, so erzählte man uns, waren bei Nacht Räuber zu ihm gekommen, weil sie glaubten, bei ihm Gold zu finden. Als sie ihn umbringen wollten, betete er. Und durch sein Gebet wie gefesselt, konnten sie sich von der Tür nicht mehr wegbewegen. Als am Morgen, wie gewöhnlich, ganze Scharen Volkes kamen und die Räuber an seiner Türe sahen, wollten sie sie verbrennen. Um die Räuber zu retten, brach er sein Stillschweigen. Er sagte nur die paar Worte: »Laßt sie gehen, und tut ihnen nichts an: sonst verläßt mich die Gnade zu heilen.« Als die Leute das hörten, wagten sie nicht zu widersprechen und ließen die Räuber gehen. Die Räuber aber, als sie das alles sahen, gaben ihr Lasterleben auf, bereuten ihre unzähligen Sünden, flüchteten sich in nahegelegene Klöster und führten von nun an ein frommes Leben.
Theon aß niemals etwas Gekochtes. Man sagte uns, daß er bei seinen nächtlichen Wanderungen in der

Für die Heiligen ist das Tier nicht nur ein Lebewesen der Naturordnung; es hat seinen durchaus geheimnisvollen Platz in jener heiligen Geschichte (»Heils-Geschichte«), die zwischen Himmel und Erde spielt. Auf eine dem Verstand ungreifbare Weise ist das Tier auf Teilhabe am Menschen angelegt; wie der Mensch an der Tierheit teilhat, so auch das Tier am Menschhaften. Gewiß noch völlig unausgefaltet, nur keimhaft, den Potenzen, den Möglichkeiten nach! Und dennoch ist es »irgendwie« hingeordnet auf Partizipation am Menschen, an seinem Schicksal, seiner Bestimmung. Daß dadurch die verschiedenen Seinsebenen »verwischt« würden, machte den Heiligen kein Kopfzerbrechen. Da glaubten sie noch ganz andere Dinge! Daß nämlich Gott Mensch geworden ist, damit Menschen »vergöttlicht« würden (*das* große Thema des christlichen Ostens!). Und war ihnen nicht auch die Grenze zwischen der Sphäre der Engel und der Sphäre der Menschen durchlässig? Glaubte man doch, daß Einsiedler und Mönche, die ihr Leben zu einem einzigen Gotteslob machen, bereits auf Erden »das Leben der Engel im Himmel« führen. Ein »engelgleiches Leben«, wie man sagte – durchaus verschieden vom normalen Leben des Menschen auf Erden, wie es an sich für den Menschen natürlich und während der irdischen Episode seines Daseins auch durchaus gottgewollt ist!

Es fällt jedenfalls auf, daß – nach zahllosen Geschichten über Heilige und Tiere – die Tiere im Umkreis des Heiligen, der seine eigene Tierheit vollmenschlich integriert hat, ihrerseits etwas eigentümlich Menschhaftes haben. Sie verstehen den Heiligen,

HANDELN
AUS DEM GEIST

Geistige Entwicklung macht große Schmerzen, sie ist der Beweis, wie sehr der Geist mit dem Physischen zusammenhängt.

Bettina 3, S. 107

*

Geist ist Tapferkeit. Alles faßt er streng und deutlich. Was er faßt, ist Gottes Atem, – denn in Gott kann Geist nur leben.

Bettina 3, S. 123

*

Der Himmel ist Geist, Geist ist der Raum, den wir als Himmel bewohnen werden; und in was willst Du übergehen als nur in Geist, und Du hast keinen Raum, als den Du Dir im Geist erwirbst.

Bettina 3, S. 122

*

Für den Himmel werden wir neu erschaffen, wir sind Geschöpfe, die Geister werden. Unsere geistige Vorbildung hier auf Erden begründet unsere Individualität jenseits.

Bettina 3, S. 124

*

Rabbi Hillel verabschiedete sich von seinen Schülern und verließ das Lehrhaus. Aber die kamen ihm nach, um ihn zu fragen, wohin er gehen wolle.
Ich gehe, um ein frommes Werk zu tun.
Was für eines denn?
Ich geh ins Bad.
Ins Bad? riefen sie erstaunt. Was ist denn daran fromm?
Sagte der Meister:
Ihr seht hier überall Statuen und Bildnisse der Fürsten aufgestellt, vor dem Theater, an den öffentlichen Plätzen; und ihr könnt beobachten, mit welcher Sorgfalt sie immer wieder gereinigt und frei von Staub gehalten werden. Verdient da unser Leib, nach dem Bilde Gottes gemacht, nicht gleiche Sorgfalt und gleiche Ehre?

Altjüdische Überlieferung 17, S. 110

*

Ich fühle mich nur dann inspiriert, wenn es mein Körper auch ist. Auch er verachtet ein zahmes und gewöhnliches Leben. Es ist ein fataler Fehler, zu meinen, daß man mit dem Geist streben und zugleich den Körper in Wollust und Trägheit versumpfen lassen kann. Der Körper ist der erste, den die Seele bekehrt. Unser Leben ist lediglich die Seele, die sich an ihren Früchten, dem Leib, zu erkennen gibt. Die ganze Pflicht des Menschen kann in einem Satz ausgedrückt werden: Schaffe dir einen vollkommenen Leib.

Thoreau 24, S. 89

*

Ehe die Dinge wurden, war nur Gott und Sein Name. Der göttliche Geist befahl die Schöpfung des Weltalls. Aber vor dem göttlichen Geist löste sich das Weltall immer wieder auf und kehrte ins Chaos zurück. Es war, wie wenn ein Sterblicher einen großen Palast zu bauen versuchte, dem die Fundamente fehlen. Da schuf Gott die Buße – und das Fundament stand.

Altjüdische Überlieferung 17, S. 96

*

Wer bei sich denkt: Ich werde sündigen und dann Buße tun – ich werde wieder sündigen und von neuem Buße tun: dem gibt die *Gerechtigkeit* keine Gelegenheit zur Buße.
Wer zu sich spricht: Ich werde das Böse tun, das große Fasten wird alles wieder sühnen: für den wird das große Fasten nichts sühnen.
An den Bußtagen werden des Menschen Verfehlungen gegen Gott vergeben. Aber für die Verfehlungen des Menschen gegen den Menschen kann nichts helfen, solange sie nicht gutgemacht und der andere wieder versöhnt ist.

Altjüdische Überlieferung 17, S. 102

*

Eines schlug tiefe Wurzeln in mir: die Überzeugung, daß Moral die Grundlage der Dinge und daß Wahrheit die Substanz aller Moralität ist. Wahrheit wurde mein einziges Ziel. Sie nahm täglich an Bedeutung zu, und meine Vorstellung von ihr wurde immer weiter.

Eine didaktische Stanze auf Gujarati [Gandhis Muttersprache] ergriff meinen Geist und mein Herz gleichermaßen. Ihre Weisung – zahle Gutes für Übles – wurde mein Leitprinzip. Es wurde für mich eine solche Leidenschaft, daß ich zahlreiche Experimente damit begann. Hier sind jene (für mich) wundervolle Zeilen:

Für eine Schale Wasser gib ein tüchtiges Mahl.
Für einen freundlichen Gruß neig dich rasch zur Erde.
Für einen bloßen Pfennig zahle zurück in Gold.
Wer dein Leben rettet, dem enthalte das Leben nicht vor.
Achte auf die Worte und Taten des Weisen:
Sie vergelten jeden kleinen Dienst zehnfach.
Doch der wahrhaft Edle erkennt alle Menschen als eines und gibt mit Freude Gutes für das Üble, das man ihm antat.

Gandhi 16, S. 32

*

Der Geist der Nicht-Gewalt führt notwendig zur Demut. Nicht-Gewalt heißt Gott vertrauen, dem ewig Unerschütterlichen. Wenn wir aber seine Hilfe suchen wollen, müssen wir ihm demütigen und reuigen Herzens nahen. Wir müssen es dem Mangobaum gleich tun, der sich niederbeugt, wenn er Früchte trägt. Seine Größe liegt in seiner majestätischen Demut. Mögen wir uns auch des bisher erzielten Fortschrittes freuen, so haben wir doch noch keinen

Grund, stolz zu sein. Wir müßten noch viel mehr opfern, als wir schon geopfert haben, um zum Stolz berechtigt zu sein, geschweige denn zur Überheblichkeit.

Gandhi 16, S. 35

*

Ich glaube, daß ich da, wo nur die Wahl bliebe zwischen Feigheit und Gewalt, zur Gewalt raten würde. Dagegen glaube ich, daß Nicht-Gewalt der Gewalt unendlich überlegen. Vergeben ist männlicher als Bestrafen. Vergeben ehrt den Krieger.

Gandhi 16, S. 70

*

Der Dichter sagt:
Der Pfad der Wahrheit ist der Pfad des Tapfern,
Der Feigling kann ihn nicht betreten.

Gandhi 16, S. 45

*

Darum habe ich es unternommen, in Indien das alte Gesetz der Selbstaufopferung wieder aufzurichten. Denn Satyagraha [*Macht der Wahrheit* – gewaltloser Widerstand] und ihre Schößlinge Nicht-Zusammenarbeit und ziviler Widerstand sind nur neue Namen für das Gesetz des Leidens. Die Rishis, die das Gesetz der Nicht-Gewalt mitten in einer Welt der Gewalt entdeckten, sind größere Genies als Newton und waren doch zugleich größere Feldherren als Wellington. Selber geübt im Gebrauch der Waffen, erkannten sie deren Nutzlosigkeit und lehrten eine geplagte Welt,

daß ihr Heil nicht in der Gewalt liege, sondern in der Nicht-Gewalt.
Nicht-Gewalt bedeutet in ihrer Auswirkung bewußtes Leiden. Sie bedeutet nicht Unterwerfung unter den Willen des Ungerechten, sondern bedeutet Einsetzen der ganzen Seelenkraft gegen den Willen des Tyrannen. Sofern er sich in seinem Wirken durch dieses Gesetz bestimmen läßt, ist es auch einem einzelnen möglich, die ganze Macht eines tyrannischen Reiches herauszufordern, seine Ehre, seine Religion, seine Seele zu verteidigen, und dadurch Anstoß zu werden für dieses Reiches Zusammenbruch oder Neuerstehen.

Gandhi 16, S. 60f.

*

Gegenseitige Duldung ist eine Notwendigkeit für alle Zeiten und alle Rassen. Wir können unmöglich in Frieden leben, wenn die Hindu die muslimische Form der Anbetung Gottes und ihre Übungen nicht dulden wollen oder wenn die Muslims sich ereifern über die Bilderverehrung und den Kultus des Rindes bei den Hindu. Duldung erfordert nicht, daß ich das, was ich dulde, auch billige. Alkohol-, Fleisch- und Tabakgenuß mißfallen mir im höchsten Grad, und doch dulde ich das alles bei den Hindu, den Muslims und Christen, wie ich von ihnen auch erwarte, daß sie meine Enthaltsamkeit in diesen Dingen dulden, auch wenn sie ihnen mißfällt. Aller Streit zwischen Muslims und Hindu kommt daher, daß einer den andern durch *Gewalt* zu seiner Ansicht bekehren will.

Gandhi 16, S. 111

*

Die Wirkung der göttlichen Liturgie auf die Seele ist ungeheuer: sichtbar vor den Augen, vor der ganzen Welt vollzieht sie sich, zugleich aber im verborgenen. Wenn der Andächtige jeder Handlung folgt und sich an die Aufrufe des Diakons hält, so erwirbt er sich schon dadurch ein hochgemutes Herz, Christi Gebote werden erfüllbar, Christi Joch wird sanft und Seine Last leicht. Verläßt er das Gotteshaus, wo er am göttlichen Liebesmahl teilgenommen hat, so erblickt er in allen seine Brüder. Ob er nun seinen alltäglichen Beschäftigungen nachgeht, sei es im Dienst, im Hause oder irgendwo, er wird unwillkürlich in seiner Seele das hohe Beispiel eines liebevollen Umgangs mit Menschen vorgezeichnet finden und bewahren, so wie es der Gottmensch vom Himmel gebracht hat. Unwillkürlich wird er gütiger und liebevoller sein im Umgang mit seinen Untergebenen.

Alle, die eifrig der göttlichen Liturgie folgten, verlassen das Gotteshaus sanftmütiger, freundwilliger im Umgang mit andern, menschenliebend und gelassen in allem, was sie tun.

Darum ist es für einen jeden erforderlich, der den Wunsch hat, vorwärtszuschreiten und besser zu werden, sooft als möglich an der göttlichen Liturgie teilzunehmen und ihr aufmerksam beizuwohnen: unmerklich »erbaut« und erschafft sie den Menschen. Wenn die Gesellschaft noch nicht ganz zerfallen ist, wenn die Menschen nicht unversöhnlichen, grenzenlosen Haß zueinander hegen, so ist die verborgene Ursache hierfür in der göttlichen Liturgie zu suchen, die den Menschen zur heiligen Himmelsliebe dem Bruder gegenüber gemahnt. Wer also in der Liebe ge-

SPANNKRAFT
DER SEELE

Ahnungen sind Regungen, die Flügel des Geistes höher zu heben; Sehnsucht ist ein Beweis, daß der Geist eine höhere Seligkeit sucht; Geist ist nicht allein Fassungsgabe, sondern auch Gefühl und Instinkt des Höheren, aus dem er seine Erscheinung, den Gedanken, entwickelt; der Gedanke aber ist nicht das Wesentliche, wir könnten seiner entbehren, wenn er nicht für die Seele der Spiegel wär, in dem sie ihre Geistigkeit erkennt.

Bettina 3, S. 102f.

*

Zaghaftigkeit vernichtet so gut wie Frechheit, gewöhnlich sind nur die Schwachen frech und die Starken zagen, wer aber nicht zagt, der sucht sich seine Höhe und geht nicht den dunkleren Weg, als vom Himmel gegeben; der Himmel gibt nur den Lohn für das Streben, nämlich das Erstrebte selbst; die Ewigkeit bezahlt nicht für die Entbehrungen, wir sind ja mitten in der Ewigkeit, und was versäumt ist, ist verloren ewig. Wenn die Mutter ihr Kind darben läßt, so ist sie schuldig, und wenn Du Deiner Seele darben läßt, so ist sie schuldig, und wenn Du Deiner Seele die Freuden und Genüsse nicht gewährst, nach denen sie verlangt, so bist Du es auch.

Bettina 3, S. 39 f.

*

Nach des Apostels Wort sollen wir, erneuert im Geist, Tag für Tag Fortschritte machen, immer gespannt auf das hin, was vor uns liegt (vgl. Eph 4,23; Phil 3,13). Wer nicht fortschreitet, geht zurück und verschlechtert seinen Zustand. Unser Herz kann nicht in ein und demselben Zustand verharren. Es ist so, wie wenn wir in einem Kahn auf einem Fluß rudern: Entweder durchschneiden wir kraftvoll die andrängende Strömung, oder wir gleiten – mit den Händen im Schoß statt am Ruder – stromabwärts. Stellen wir fest, daß wir keinen Fortschritt machen, dann ist das ein augenscheinliches Indiz dafür, daß es abwärts geht. Spüren wir an einem Tag keinen Fortschritt nach »oben«, dann haben wir einen Rückschritt gemacht. Es ist Eigenart jeglicher Kreatur, ständig Veränderungen ausgesetzt zu sein – Gott allein ist unveränderlich. Darum müssen wir uns zum Tugendstreben unermüdlich und sorgfältig anspannen und nicht nachlassen, damit nicht mit dem Mangel an Fortschritt zugleich ein Rückschritt erfolgt. Nichts erworben haben ist gleich verloren haben.

Cassian 22, S. 170 f.

*

Von einem Altvater wird erzählt: Wenn ihm seine Gedanken vorsagten: Laß heute nach, du kannst ja morgen wieder Buße tun, dann widersprach er ihnen mit den Worten: »Nein, sondern heute will ich Buße tun; morgen aber geschehe Gottes Wille!«

»Worte der Väter« 20, S. 70

*

Abbas Poimen sagte: »Wie der Rauch die Bienen vertreibt und von ihrer Arbeit die Süßigkeit nimmt, so vertreibt die körperliche Bequemlichkeit die Furcht Gottes aus der Seele und zerstört ihr ganzes Werk.«

»Worte der Väter« 20, S. 70

*

»Als der Altvater Antonios einmal in verdrießlicher Stimmung und mit düsteren Gedanken in der Wüste saß, sprach er zu Gott: ›Herr, ich will gerettet werden, aber meine Gedanken lassen es nicht zu. Was soll ich in dieser meiner Bedrängnis tun? Wie kann ich das Heil erlangen?‹ Bald darauf erhob er sich, ging ins Freie und sah einen, der ihm glich. Er saß da und arbeitete, stand dann von der Arbeit auf und betete, setzte sich wieder und flocht an einem Seil, erhob sich dann abermals zum Beten; und siehe, es war ein Engel des Herrn, der gesandt war, Antonios Belehrung und Sicherheit zu geben. Und er hörte den Engel sprechen: ›Mach es so und du wirst das Heil erlangen.‹ Als er das hörte, wurde er von großer Freude und mit Mut erfüllt und durch solches Tun fand er Rettung.«

»Worte der Väter« 20, S. 26f.

*

Da war einer, der in der Wüste nach wilden Tieren Jagd machte. Er sah, wie der Altvater Antonios mit den Brüdern Kurzweil trieb, und er nahm Ärgernis daran. Da nun der Greis ihm klar machen wollte, daß man sich zuweilen zu den Brüdern herablassen müsse, sprach er zu ihm: »Lege einen Pfeil auf den Bogen und spanne!« Er machte so. Da sagte er zu ihm: »Spanne noch mehr!« --- Und er spannte. Abermals forderte er ihn auf: »Spanne!« Da antwortete ihm der Jäger: »Wenn ich über das Maß spanne, dann bricht der Bogen.« Da belehrte ihn der Greis: »So ist es auch mit dem Werk Gottes. Wenn wir die Brüder übers Maß anstrengen, versagen sie schnell. Man muß also den Brüdern ab und zu entgegenkommen.« Als der Jäger das hörte, ging er in sich, und mit großem Gewinn schied er von dem Altvater. Die Brüder aber kehrten gefestigt an ihren Ort zurück.

»Worte der Väter« 20, S. 71

*

Sie (die Seele) ist ein Baum des Lebens, gepflanzt in die lebendigen Wasser, das heißt in Gott. So wie aus einer reinen Quelle auch klare Bäche hervorgehen, so ist es mit den Werken einer Seele im Gnadenstand. Sie sind angenehm in den Augen Gottes und der Menschen, denn sie entspringen dieser Lebensquelle, in die der Baum der Seele gepflanzt ist und der er seine Frische und seine Früchte verdankt.

Teresa von Avila 12, S. 46

*

Ich denke hier an den Vers: »dilatasti cor meum« (Du hast mir das Herz weit gemacht. Ps 118,32), der zeigt, wie sich die Seele erweitert: Das göttliche Wasser der Quelle, von der ich sprach, steigt auf aus den Tiefen und füllt erweiternd unser Inneres mit unbeschreiblichen Gaben, die größer sind als das Fassungsvermögen unserer Seele. Sie nimmt einen Duft wahr, als würden auf dem inneren Kohlenbecken Räucherstäbchen verbrannt. Sie sieht keine Flamme, kennt keine Ursache, aber Wärme und Wohlgeruch durchdringt die ganze Seele, und meist hat auch der Körper daran teil.

Teresa von Avila 12, S. 46

*

Herr unzählbarer Hoffnungen, unzählbarer Gebete,
Du reiner Traum, unbekannt, unerkennbar
für unsere sterblichen Sinne, dunkel nur erkennbar
durch den Zauber irdischer Freude und jäher
  Verzweiflungen.
Verzeih uns, was wir waren und was wir sind,
was wir in der Fülle der Zeit sein werden!
Du bist das Licht und in Deinem Schatten
gehen wir fort und fort wie ein wachsender Stern.
Laß unser Verständnis wachsen, bis wir
durch des Lebens verwirrende Vielfalt
jene Berührung erfahren, die uns
Deinen Willen offenbart:
Und forme jedes Wort, jede Tat, jeden Gedanken,
bis wir lernen, Deinen Willen zu erkennen
und vom Schatten ins Ewige Licht hinübertreten.

Govinda Krishna Chettur 7, S. 77

*

VERSENKUNG

Einem gelang es – er hob den Schleier der Göttin zu Sais. – Aber was sah er? Er sah – Wunder des Wunders – sich selbst.

Novalis 2, S. 38

*

Wenn Gott in dir nur ist, so wird in Höhn und
   Gründen
Der Schöpfung überall sein Wirken dir sich
   künden.

Dies ist, und dieses nur, die Hälfte der Natur:
Sie lehret dich nicht Gott, doch zeigt dir seine
   Spur.

Das wesentliche Licht muß in dir sein dein eigen,
Wenn sich sein Abglanz soll in tausend Spiegeln
   zeigen.

Der Schlüssel der Natur muß dir in Händen ruhn,
Um ihre ewigen Schatzkammern aufzutun.

Wie aber ist nun Gott in dich hineingekommen?
Hast du ihn auf- und an-, hat er dich
   eingenommen?

Du hast ihn nicht erdacht noch selbst
  hervorgebracht;
Schlief er vielleicht in dir und wäre nur erwacht?

Du bist die Wiege, die er selber sich erkoren;
Nicht du gebarest ihn, er hat sich dir geboren.

Er hat, um einzuziehn, die Pforten dir verliehn,
Und auch dazu die Macht, selbst auszuschließen
  ihn.

Er steht und klopfet an, und wenn du aufgetan,
So hast du auch dazu von ihm die Kraft empfahn.

Rückert 18, S. 57

*

Teresa von Avila

GOTT SPRICHT ...

O Seele, suche dich in Mir,
und, Seele, suche Mich in dir.

Die Liebe hat in meinem Wesen
dich abgebildet treu und klar;
kein Maler läßt so wunderbar,
o Seele, deine Züge lesen.
Hat doch die Liebe dich erkoren
als meines Herzens schönste Zier;
bist du verirrt, bist du verloren,
o Seele, suche dich in Mir.

In meines Herzens Tiefe trage
Ich dein Porträt, so echt gemalt;
sähst du, wie es vor Leben strahlt,
verstummte jede bange Frage.

Und wenn dein Sehnen Mich nicht findet,
dann such' nicht dort und such' nicht hier;
gedenk, was dich im Tiefsten bindet,
und, Seele, suche Mich in dir.

Du bist mein Haus und meine Bleibe,
bist meine Heimat für und für;
Ich klopfe stets an deine Tür,
daß dich kein Trachten von Mir treibe.
Und meinst du, Ich sei fern von hier,
dann ruf Mich, und du wirst erfassen,
daß Ich dich keinen Schritt verlassen:
und, Seele, suche Mich in dir.

Übersetzung: Erika Lorenz 11, S. 11

*

ÜBER DIE DREI ARTEN DES SCHWEIGENS

Es gibt beim kontemplativen Gebet drei Arten des Schweigens, wenn wir die unwichtigeren beiseite lassen. Die erste erfahren wir, wenn in uns alle Gedanken, Vorstellungen und Bilder des Sichtbaren aufhören und die Seele gleichsam gegenüber dem Geschaffenen schweigt, so wie es Ijob sich wünschte, als er sagte: »So läge ich nun still und schliefe. Im Traume ruhte ich mit den Königen und Herrschern der Erde, die sich Eremitagen erbauten.«
Wir versenken uns gegenüber den zeitlichen Dingen in Schlaf, wie Gregor der Große sagt, und schweigen innerlich, wenn wir uns in die Verborgenheit unserer Seele zurückziehen, um den Schöpfer zu schauen. Die Heiligen, die hier Könige und Herrscher genannt wurden, haben solche Einsiedeleien für sich erbaut,

wenn ihr Herz nicht mehr von weltlichen und ungeordneten Wünschen beunruhigt war. Mit der rechten Hand heiliger Betrachtung halten sie alle unerlaubten Strebungen vom Bett ihres Herzens fern, indem sie das Vergängliche und die daraus hervorgehenden unangemessenen Grübeleien geringschätzen. Sie sind nur noch auf das Ewige gerichtet, hängen nicht am Irdischen und erfreuen sich großer Ruhe in ihrer Seele.
Die zweite Weise des Schweigens gleicht jener geistlichen Muße, mit der sich Maria zu Füßen des Herrn setzte und (mit dem Psalmisten) sagte: »Ich will hören, was mein Gott und Herr in mir spricht.« Ihr galten die Worte des Herrn: »Höre, meine Tochter, sieh mich an und neige mir dein Ohr, und vergiß dein Volk und das Haus deines Vaters.«
Man kann diese zweite Art des Schweigens gut mit dem Zuhören vergleichen, denn der Hörende schweigt ja nicht nur selbst, sondern er will, daß alles ihm schweige, weil er sich nur so ganz dem zuwenden kann, der zu ihm spricht; besonders wenn er nicht weiß, wo dieser sich befindet, wie es bei der zweiten Art des Schweigens der Fall ist. Denn, so ist uns in den Evangelien gesagt, wir hören wohl die Stimme Gottes, seine Einsprechung, doch wissen wir weder, woher sie kommt, noch wohin sie geht, weshalb wir sehr still und aufmerksam sein sollten.
So haben wir also zwei Arten des Schweigens: die eine, wenn Gedanken und Bilder aufhören, in unserem Kopf zu kreisen. Die andere, wenn wir uns selbst ganz vergessen mit einer totalen Zuwendung unseres inneren Menschen zu Gott allein.
Im ersten Schweigen verstummen die Dinge für uns.

Im zweiten verstummen wir selbst in tiefer Ruhe und öffnen uns Gott in demütiger, aufrichtiger Hingabe. Sie wird dargestellt durch die heiligen geflügelten Wesen des Ezechiel, von denen es heißt: »Sie standen still und aufrecht und senkten die Flügel, als vernähmen sie eine Stimme aus dem Firmament über ihren Köpfen.« Diese Stimme ist, wie wir schon sagten, die göttliche Einsprechung, die das Ohr unserer Seele einzig durch die spürbare Gegenwart Gottes empfängt. Darum berichtet Elifas (im Buche Ijob), daß ihm ein verborgenes Wort heimlich und schweigend anvertraut wurde und er nur die Spur eines Flüsterns empfing. Diese Stimme der Einsprechung entsteht oberhalb des Firmaments, im höchsten Teil unseres Geistes, der sich mit Gott unmittelbar in Liebe vereint. Die geflügelten heiligen Wesen bedeuten die Kontemplativen, und man sagt, daß sie stillstehen, weil beim Ertönen der Stimme in der Seele diese zu großen Dingen aufsteht und in Gott eingeht, wie es den Aposteln geschah, als sie den Herrn zum Himmel fahren sahen. Wurde doch auch dem Ezechiel befohlen, daß er sich auf seine Füße stelle, weil Gott mit ihm rede.
Dieses Stehen vor Gott ist eine schweigende Anbetung, in der wir ganz von Gott abhängen, wobei fast jede Tätigkeit der Seelenkräfte aufhört, denn die Seele muß still und demütig werden, damit sie Weisheit empfange. Das Sinkenlassen der Flügel in dem Zitat bedeutet, daß andere, höhere Kräfte aktiv werden, um die der Seele eingeflößte göttliche Einsprechung aufzunehmen. Kontemplative Beter wissen, so möchten wir erläutern, daß ihre eigenen Kräfte hier-

für ungeeignet sind. Sie geben sie darum schweigend Gott hin, um von ihm zu erhalten, was ihnen fehlt. Wie denn der Psalmist sagt: »Meine Seele wollte nicht getröstet werden. Ich gedachte des Herrn und freute mich, ließ nicht von ihm, und mein Geist wurde entrückt.«
Die dritte Art des Schweigens vollzieht sich in Gott, wenn die ganze Seele in ihn verwandelt ist und seine Lieblichkeit in Fülle genießt. Sie entschlummert darin wie (die Braut des Hohen Liedes) im Weinkeller, und sie schweigt, da es nichts mehr zu wünschen gibt; ja, sogar sich selbst ist sie entrückt, da sie die Schwachheit der Natur vergißt und sich ganz vergöttlicht sieht: gottförmig ihm vereint, bekleidet mit seinem Glanze wie ein zweiter Moses, der aus der Wolke hervortritt, die den Berg umgab. In noch tieferer Wahrheit widerfuhr Gleiches dem Apostel Johannes, dem alle Sinne vergingen, als er sich nach dem Abendmahl an die Brust des Herrn warf.

Francisco de Osuna 11, S. 58 ff.

*

Wenn Abbas Agathon etwas sah und sein Herz über die Sache urteilen wollte, sprach er zu sich: »Agathon, tu das nicht!« Und so kam sein Denken zur Ruhe.

»Worte der Väter« 20, S. 42

*

Um euch einen Eindruck zu geben, was wahres, glutvolles Gebet ist, möchte ich euch nicht meine Ansicht darüber sondern die des großen Antonius darlegen.

Wir wissen, daß er oft so sehr im Gebet versunken war, daß wir ihn ekstatisch in der Glut seines Herzens zur aufgehenden Sonne sagen hörten: »Was trittst du mir in den Weg, Sonne, die du mir nur darum aufgehst, um mich von der Klarheit dieses wahren Lichts wegzuziehen?«
Von ihm stammt auch das mehr himmlische als menschliche Wort über das Ziel des Gebetes: »Das Gebet ist nicht vollkommen, solange der Mönch um sich selbst oder um das, was er betet, weiß.«

Cassian 23, S. 66

AUFSTIEG DER SEELE

Das ist Liebe: Himmelwärts zu fliegen, jeden Augenblick hundert Schleier zu zerreißen; unser Herz von den sichtbaren Dingen zu lösen, nicht nur zu sehen, was uns sichtbar scheint. Auf das Selbst zu verzichten und immerdar in Gott zu wandern ist Anfang und Ende jeder mystischen Reise.
O Seele, sagte ich, möge dies ein Segen für dich sein: Ich bin in den Kreis der Liebenden eingetreten. Ich kann weiter sehen, als die Sehweite des Auges reicht. Ich kann nun die Windungen der Herzen durchdringen.
Wie kam es, daß du hier atmest, o meine Seele? Woher kommt dies Pochen, mein Herz? O Seelenvogel, sprich in deiner Sprache, denn ich kann die verborgene Botschaft verstehen.
Die Seele antwortete: Ich war in der göttlichen Werkstatt, als dein Körperhaus aus Wasser und Lehm gemacht wurde. Ich wollte fortfliegen: Aber sie schlossen mich ein, wie eine Gestalt in eine tönerne Form.

Rumi 30, S. 79

*

Wenn jemand ständig auf den Berghöhen der Propheten und Apostel weidet, dann kann er auch alle Stimmungen der *Psalmen* in sich aufnehmen. Er wird beginnen, sie zu singen, nicht als seien sie vom Propheten gedichtet, sondern als seien sie von ihm selbst verfaßt: als sein ganz persönliches Gebet, aus der Zerknirschung seines Herzens geboren. Oder er bezieht sie wenigstens auf sich persönlich und erkennt, daß ihre Aussagen nicht bloß damals durch den Propheten oder am Propheten sich erfüllten, sondern täglich auch an ihm selbst. Denn die Heiligen Schriften öffnen sich uns viel klarer, ihr Mark und ihre Adern erschließen sich uns, das heißt ihre tiefsten Geheimnisse, wenn wir durch unsere eigene Erfahrung ihren Sinn nicht bloß erfassen, sondern ihm sogar zuvorkommen, weil sich uns das Verständnis der Worte nicht durch Exegese erschließt, sondern durch selbsterlebte Tatsachen. Empfindet nämlich unser Herz die gleiche Stimmung, in der ein Psalm gesungen oder geschrieben wurde, so werden wir gleichsam seine Verfasser. Wir verstehen dann den Geist der Worte vor ihren Buchstaben. Und wenn wir uns dann diese Worte meditierend zu Herzen nehmen, wird das in uns lebendig, was uns widerfuhr und was wir täglich erleben.

Cassian 23, S. 87f.

*

Während wir die Psalmen singen, tritt uns alles neu vor die Seele: was wir nachlässig verloren oder was wir durch unseren Eifer gewannen, was uns die göttliche Vorsehung schenkte oder die Nachstellung des Feindes raubte, was uns verloren ging, weil wir es vergaßen – man merkt ja nicht, was einem alles entgleitet

–, was uns menschliche Gebrechlichkeit angetan hat oder worin uns blinde Unwissenheit täuschte.
Alle diese Gefühle, Empfindungen, Stimmungen finden in den Psalmen ihren Niederschlag. Uns wird das selbst Erfahrene klarer bewußt und durchschaubarer, wenn es uns beim Psalmengesang wie in einem Spiegel begegnet. Durch unsere eigenen Empfindungen belehrt, hören wir die Psalmen nicht wie etwas uns Fremdes, sondern wir ertasten sie als etwas uns ganz Vertrautes. Wir beten dann solche Texte nicht wie etwas distanziert Auswendiggelerntes, sondern wir gebären sie selbst, gleichsam aus innerstem Herzensgrund als etwas Eigenes, weil wir den Sinn der Psalmen nicht durch den gelesenen Text, sondern durch vorausliegende Erfahrung bereits kennen.

Cassian 23, S. 87 f.

*

Auch bei dem, der nur an »Gott und meine Seele« denkt, strahlt aus, was sich im Innern abspielt. Die alten Mönchsväter waren sich freilich bewußt, daß der Kampf um die Reinigung des Herzens überindividuelle Auswirkungen hat. Sie sahen in den *Dämonen* nicht nur Widersacher ihres persönlichen Heils, sondern die Feinde des Menschengeschlechtes. Darum beschränkten sie sich nicht auf Verteidigung, sondern gingen zum Angriff über, zogen hinaus in die *Wüste,* die als Tummelplatz der Dämonen galt, um den Feind in seinem eigenen Land zu bekriegen und so die gegnerischen Kräfte zu binden. Tiefer betrachtet, hängt diese Strategie natürlich nicht von äußeren geographischen Bedingungen ab. Es muß nicht die äußere Wüste sein – es genügt die innere Wüste als »Kriegsschauplatz«. (Wer hat sich noch nie, wenn er einsam war, allein, wie in einer Schlangengrube gefühlt – wenn das Zischeln nahe dem Herzen beginnt?)

Sartory 23, S. 18f.

*

Man kann unsere Seele ihrer Natur nach sehr treffend mit einem ganz feinen und leichten Flaumfederchen vergleichen. Sofern es nicht durch Feuchtigkeit verklebt, von Nässe beschwert ist, steigt es durch die ihm eigene Beweglichkeit beim leisesten Lüftchen gleichsam von Natur aus zum höchsten Himmel auf. Wenn es dagegen, von Wasser benetzt, seine Leichtigkeit verloren hat, wird es nicht mehr, wie es ihm von Natur aus eigen wäre, von der Luft nach oben getragen. Im Gegenteil: dann wird es durch die Last der Nässe zu Boden gedrückt.
So ist es auch mit unserem Geist. Nicht beschwert durch ihm anklebende Laster oder Sorgen dieser Welt, nicht verdorben durch die Nässe schädlicher Begier, wird er sich in der Lauterkeit seines natürlichen Wesens beim leichtesten Anhauch geistlicher Meditation nach oben erheben, von aller Erdenschwere losgerissen und zum Himmlischen und Unsichtbaren erhoben.
Darum mahnt uns der Herr: »Seht zu, daß eure Herzen nicht durch Rausch, Trunkenheit und irdische Sorgen belastet werden« (Lk 21,34). Möchten wir

also, daß unser Gebet bis zum Himmel dringt, ja noch über die Himmel hinaus, so müssen wir uns von allen irdischen Lastern reinigen, von jeglicher Hefe der Leidenschaften befreien. Nur dann nämlich kann unser Geist die ihm an sich natürliche Schwerelosigkeit zurückgewinnen und unser Gebet wird, wie von selbst, zu Gott emporsteigen.

Cassian 23, S. 48f.

*

Wodurch aber wird nach den Worten des Herrn der Geist zu Boden gedrückt? Nicht Ehebruch, Hurerei, Mord, Gotteslästerung oder Raub werden hier aufgezählt, von denen wir sowieso wissen, daß sie todbringend und also verdammungswürdig sind, vielmehr werden hier Rausch, Trunkenheit und weltverstrikkende Sorgen genannt.
Diese drei Dinge, buchstäblich verstanden, be-schweren die Seele besonders (nehmen ihr die Kraft zum Aufschwung), drücken sie zu Boden, trennen sie von Gott. Es gibt aber auch eine andere Art von Rausch, es gibt ein geistiges Betrunkensein, und es gibt weltverstrickende Sorgen, die auch den noch beschleichen können, der auf alle Besitztümer verzichtet hat, der Wein und Schlemmeressen meidet und in der Wüste lebt.
Darum sagt der Prophet: »Wachet auf, die ihr nicht vom Wein trunken seid« (vgl. Joel 1,5 – LXX). Man kann auch durch Wut, Bitterkeit und Gier in Rausch geraten. Und wenn wir nicht von allen Lastern gereinigt und aus dem Taumel unserer Leidenschaften

aufgewacht sind, können wir auch ohne übermäßiges Essen und berauschende Getränke im Herzen dumpf und betrunken sein.

Cassian 23, S. 49 f.

*

Es sind die Dämonen, die uns zu Übertreibungen solcher Art hindrängen. Ein Beispiel kann uns das lehren:

Ein bewährter Altvater kam einmal am Kellion eines Bruders vorbei, der an dieser Art Gier erkrankt war, arbeitete er doch ruh- und rastlos, um irgendwelchen überflüssigen Kram besitzen zu können. Der Abbas beobachtete schon von fern, wie sehr dieser Bruder sich abmühte, mit einem schweren Hammer einen Felsbrocken zu zertrümmern, gewahrte aber zugleich eine schwarze Gestalt hinter ihm; es sah aus, als hätte diese ihre Hände mit denen des Mönches verflochten, wie wenn sie mit ihm zusammenarbeitete; dann sah es aber auch wieder so aus, als drücke sie ihm brennende Fackeln in die Seiten, um ihn zu noch größerer Anstrengung anzuspornen.

Der Altvater blieb lang stehn, voller Staunen, mit welch einer Reizkraft dieser grimmige Teufel am Werk war und zugleich verwundert, daß der Bruder selbst das Schmachvolle seiner Arbeitswut überhaupt nicht bemerkte.

Schließlich fragte der Altvater den Bruder: »Was tust du da?« Der antwortete: »Wir bearbeiten diesen überaus harten Felsblock, konnten ihn aber bisher nicht zertrümmern.« Darauf der Altvater: »Richtig sagst du ›*wir* konnten‹, denn du warst bei deiner Arbeit nicht allein. Es war einer bei dir, nicht um dir wirklich zu helfen, sondern um dich in eine noch größere Arbeitswut hineinzuhetzen.«

Cassian 23, S. 50f.

ERLEUCHTETE NACHT

VISION DES HEILIGEN NIKOLAUS VON FLÜE

Als er lange und viel Klüfte und grausige Schluchten durchwandert, sah er vier heitere Lichter vom Himmel kommen und in jenen Teil des Tales hinabsteigen, die man Ranft nennt. Dadurch wurde er belehrt und erkannte, daß dort der Ort sei, der für einen zur Lobpreisung Gottes bestimmten Aufenthalt sich eigne.

Zur Vision von den vier Lichtern

tage und nächte
verwundet nicht wissend
treu dem meister in dir
durchschreitest du dunkel
neu zu empfangen
das licht

Margrit Spichtig 28, S. 108

*

Aus Finsternis zum Licht steigt eine Stufenleiter,
Die dunkel ist am Fuß und an der Spitze heiter.

Im Schatten siehst du nicht, wie hoch die Leiter du
Aufklommest, doch du klimmst zum Licht auf,
klimm nur zu!

Wenn du im Licht erkennst, wie aus dem Licht
erstanden
Notwend'ge Finsternis, dann ist die Welt
verstanden.

War Finsternis einst Licht, so wird sie Licht einst
sein,
Wann das Entsprungne geht in seinen Ursprung
ein.

Jedweder Sieg des Lichts, im schwachen Geist
vollbracht,
Weissagt den ew'gen Sieg der lichten Geistermacht.

Ihn prophezeit die Sonn' an jedem Tage tagend,
Mit einem Strahl von Licht ein Heer von Schatten
schlagend.

Am Abend wird sie rot vor Scham, daß sie erlag,
Und träumt die Nacht hindurch vom großen
ew'gen Tag.

Rückert 18, S. 112

*

DER STERBENDE UND DER GEIER

Warte, warte noch eine Weile,
mein begieriger Freund!
Ich werde noch früh genug
diese schwindende Hülle abwerfen,
dessen übermäßige Agonie
deine Geduld erschöpft.
Ich will deinen redlichen Hunger
nicht zu lange harren lassen
auf das Zerrinnen dieser Augenblicke.

Doch die Kette aus Atemzügen
ist schwer zu zerbrechen,
und der Wille zu sterben,
der stärker ist als alles Starke,
wird noch zurückgehalten vom Willen zum Leben,
der schwächer ist als alles Schwache.
Verzeih, Gefährte, ich säume zu lange!
Es ist die Erinnerung,
die meinen Geist noch aufhält.

Ein Reigen aus fernen, entfernten Tagen,
die Vision einer im Traum erlebten Jugend,
ein Antlitz, das mir zulächelt,
eine Stimme, die in meinen Ohren nachhallt,
eine Hand, die meine Hand berührt ...
Verzeih, daß ich dich so lange warten ließ.

Es ist nun vorbei, und alles ist entflohen,
Das Antlitz, die Stimme, die Hand
und der Dunst, der sie erstehen ließ.
Der Knoten ist aufgeknüpft,
und das Band ist zerschnitten.
Komm, nähre dich, mein hungriger Freund!
Die Tafel ist bereitet!
Wohl ist die Kost kärglich,
doch wird sie mit Liebe dargeboten.

Komm, und stoße deinen Schnabel
hier in die linke Seite!
Befreie aus seinem Käfig
diesen kleineren Vogel,
dessen Flügel sich kaum mehr bewegen.

Ich will, daß er mit dir zusammen
sich in den Himmel erhebt.
Komm, in dieser Nacht bin ich dein Gastgeber
und du mein willkommener Gast.

Gibran 1, S. 101 f.

*

An den jüdischen Sterbegebeten besticht, daß sie einfach aus Bibelworten zusammengestellt sind, vornehmlich aus Psalmversen. Es geht jetzt um nichts anderes, als worum es immer schon ging. Und es geschieht auch nichts anderes, als was im wesentlichen immer schon geschah auf dem Pilgerweg nach Jerusalem: Aufstieg zum Heiligtum, um Gott anzubeten, ihn zu loben, ihm zu danken. Denn die Stadt auf dem Sion, das Jerusalem der Psalmen, ist eine himmel-irdische Wirklichkeit. Worauf der gläubige Jude sich in allen Strapazen und Gefahren seines irdischen Weges verlassen hatte – Gottes Treue! –, darauf setzt er auch nun in den Fährlichkeiten des letzten Wegabschnitts seine einzige Hoffnung. Was nicht bedeutet, daß er auf das, was ihn hier ängstigen und bedrängen kann, fixiert wäre! Seine ganze Freude an Gott bricht elementar in ihm auf. Nun gelangt die Pilgerreise in ihr definitives Stadium. Nun wird sie zur Heimkehr für immer. Nun steht der »Geliebte« vor der Tür. – Und so tauchen in diesen Sterbegebeten Verse aus dem Hohenlied auf, aus dem »Lied der Lieder«. Es ist *das* Lied schlechthin, besingt es doch im Bild einer irdischen, einer glühend-erotischen Liebe die Liebe zwischen Gott und seinem Volk, zwischen dem Schöpfer und seinem Geschöpf, zwischen Gott und der Seele. Die Stunde der Hochzeit naht.

Der eine, der da stirbt, ist jetzt so wichtig wie Ganz-Israel (wie die Gesamtheit der Kirche! – nach christlichem Verständnis). Was allen gilt, gilt nunmehr insbesondere ihm. In dem einen, der jetzt zu seinem Schöpfer heimkehrt, erfüllt sich der Sinn der Schöpfung und das Ziel der Erlösung. Das ist gemeinsamer Tenor unserer jüdischen und christlichen Texte.

Sartory 21, S. 20

*

Und so malte man in den frühchristlichen Begräbnisstätten der Katakomben immer wieder den Guten Hirten an die Wand, wie er auf seinen Schultern das Schaf in die himmlische Hürde heimträgt: er ist der eigentliche Totengeleiter – der Gute Hirt, der nicht flieht, wenn der Wolf kommt, sondern »sein Leben gibt für seine Schafe«. Die außerordentliche Häufigkeit dieses Bildmotivs in der altchristlichen Kunst hängt damit zusammen, daß diese Kunst weitgehend Grabkunst war. Und in der Tat: welche Sterbeermutigung mußte von einem solchen Bild ausgehen, wenn man es nur tief genug der eigenen Seele ein-bildete! Christus selbst trägt die abgeschiedene Seele hinüber wie der Hirt das Lamm auf seinen Schultern. »Meine Schafe werden in Ewigkeit nicht verlorengehen, und niemand wird sie meiner Hand entreißen« (Joh 10,27f.). Er trägt sie nicht nur auf den Schultern, nicht nur in der Hand! Er hat sie sich selbst einverleibt: der »Leib des Herrn«, der dem Sterbenden als *Wegzehrung,* als Viatikum, gereicht wird.

Sartory 21, S. 26

*

DAS ENDE DES TRAUMS

Gepriesen sei, der die Toten lebendig macht!
- Oh, wie bitter ist, meine Brüder,
der Kelch des Todes;
auch die Nüchternen berauscht er,
so daß sie unter Tränen irre werden.
- Durch das Abscheiden des Toten
wird auch der Standhafte überwältigt,
und er klagt erschüttert über den Freund,
der dahinging.
- Es schreit auf in seiner Liebe,
der zurückblieb,
klagend um den Gefährten, der ihm entrissen
und dessen Umgang, dessen Stimme ihm nun
fehlt.
Gepriesen sei, der die Toten lebendig macht!
- Wer vermag schon Abraham nachzueifern,
der stark genug war,
seines Leibes Frucht, Isaak,
um des Herrn willen dem Tod zu weihen?
- Er war die Säule der Wahrheit,
tragend ihre Last für das Volk;
der Schmerzen Wogen erschütterten ihn,
doch brachten sie ihn nicht ins Wanken.
- Wie ein Winzer,
der an seinem unfruchtbaren Weinstock
endlich eine Frucht erblickt,
brachte er die späte Traube
als seinen Erstling Gott dar.
Gepriesen sei, der die Toten lebendig macht.
- Der Wein des Todes ist Hefe,
die in Schmerzen aufbraust,

mit Tränen macht er die Zecher trunken,
mit Weinen die Gäste.
– Wer immer von Liebe trunken ist,
aber aus Liebe zur Wahrheit
seine Traurigkeit besiegt,
wird den Freund, der von ihm schied,
sehen wie in einem Traum.
– Vielleicht hatte er schon mal geträumt,
sein Freund liege im Sterben;
doch dann kam der Morgen
und nahm den Schmerz des Traumgesichts
hinweg.
– Wie gleicht doch der Tote
dem nur im Traum Entschlafenen!
Und wie gleicht der Tod
dem Traum
und die Auferstehung dem Morgen!
Gepriesen sei, der die Toten lebendig macht!
– Die Wahrheit wird uns einstens aufleuchten
wie Licht dem Auge,
und wir werden den Tod betrachten
wie ein ängstigendes Traumgebilde.
– Ein Tor, wer meint,
nur der Schlaf höre am Morgen auf,
während der Tod ein Schlaf sei,
der ewig währt.
– Wem die Hoffnung das Auge erleuchtet,
der schaut das Verborgene
und daß der Schlaf des Todes
an jenem Morgen endigt.
– Jetzt ist er entschwebt, der Wunderduft des
Lebens,

hat den Körper verlassen,
das Wohnzelt der Seele,
dem sie schaudernd entfloh.
– Herrlich wird er wieder sein
in Schmuck und Pracht,
der geliebte Tempel des Geistes –
wiederhergestellt,
was nie zuvor war.
Eine Wohnung des Friedens!
– Die Stimme der Posaune
ruft den verstummten Seelen-Harfen zu:
»Wacht auf, lobsinget und spielt
vor dem Bräutigam eure Lieder!«
– Welch ein Rauschen von Stimmen,
wenn die Gräber sich öffnen;
einer nach dem andern in seine Harfe greift
und Jubellieder anstimmt.
– Preis sei dir, der du Adam erhöhtest,
als er noch schuldlos war!
Preis sei dir,
der du ihn zur Unterwelt niederbeugtest,
als er sich überhob!
– Lob sei dem, der erniedrigt.
Lob sei dem, der wiederauferweckt!
Möge auch meine Zither bei ihrer Auferstehung
ihrem Herrn lobsingen.
Gepriesen sei, der die Toten lebendig macht!

Ephräm der Syrer 21, S. 116ff.

EIN LIED, DAS NUR DIE LIEBE LEHRT

Warum nimmt die Seele keine Schwingen, wenn von der göttlichen Gegenwart süßes Gunstwort zu ihr kommt: »Empor«?
Wie sollte der Fisch nicht vom Trocknen ins Wasser schnellen, wenn das Wogengeräusch des kühlen Meeres sein Ohr trifft?
Warum sollte der Falke nicht vom Steinbruch weg zum König fliegen, wenn er mit Trommel und Trommelton zur Rückkehr sich berufen hört?
Warum sollte nicht jeder Sufi zu tanzen beginnen, einem Sonnenstäubchen gleich, in der Sonne der Ewigkeit, daß sie ihn von der Vergänglichkeit erlöse?
O Gnade, Schönheit, Lieblichkeit und Beschenkung des Lebendigen! Welch Elend und Irrtum, wenn jemand darauf verzichtet.
Flieg, flieg mein Vogel zum Land deiner Geburt, denn du bist dem Käfig entkommen und deine Schwingen sind ausgebreitet.
Fliege fort vom Strom der Bitternis und dem Wasser des Lebens zu, kehre zurück vom Vorhof auf den hohen Thron der Seele.
Eil dich, Seele, denn wir alle gehen von dieser Welt der Trennungen in jene Welt der Einung. Laßt uns die Erde verlassen und himmelwärts fliegen …

Schrei laut und verkünde, daß du König bist; dir wird die Gnade der Antwort zuteil werden, denn du hast das Wissen zu fragen.

Rumi 30, S. 45 f.

*

»Was gelten mir Worte?« läßt Rumi Gott zu Moses sagen. »Ich brauche ein glühendes Herz! Laß die Herzen in Liebe entflammen und kümmere dich weder um Gedanken noch Rede.« – Ohne dieses »Glühen des Herzens« sind Rumis Gesänge überhaupt nicht zu verstehen. Was Herzen zum Glühen bringt, ist – darin besteht wohl Übereinstimmung – die Liebe, und für den Sufimystiker gibt es überhaupt nur eine einzige Art von Liebe, deren Ursprung sowie Ziel Gott ist. Die Frage, ob denn Rumis Gedichte nur Liebeslyrik seien, ist also müßig. Die Frage heißt für Rumi: Ist ein Mensch fähig zu lieben, und wie stark, ja ekstatisch kann seine Liebe werden? Dann nämlich ist er »in Gott und Gott in ihm«. (Allerdings würde Rumi das meiste, was wir alltäglich mit Liebe bezeichnen, nicht so nennen.) Gott ist unsichtbar, aber im Schönen, im Vollkommenen seiner Schöpfung wird er sichtbar. Dieses Schöne zu lieben und zu preisen heißt für Rumi Gott lieben und preisen.

»Sollte ich je den Duft einer Rose atmen,
ohne deiner Liebe zu gedenken,
so verbrenne mich wie einen Dorn.«

In seiner reichen Bilderwelt von Sonne Mond und Gestirnen, von Gärten, Blumen, Vögeln und Gewässern, und im Geliebten (männlich oder weiblich), im

Weinschenk und Lautenspieler verherrlicht Rumi die immer gegenwärtige göttliche Wirklichkeit. Er will Geschöpfe und Schöpfer in eins sehen und eine Brücke schlagen, zwischen dem Endlichen und dem Unendlichen.

Linde Thylmann 30, 10f.

*

Wenn ich wie ausgedörrter, harter Boden bin,
Komm über mich im Schauer Deiner Gnade.

Wenn Schönheit wich aus meinem Leben,
So komm im Überquellen eines Lieds.

Wenn Arbeit lärmend ihr Getöse von allen Seiten
her erhebt,
Mich ausschließt von der höhern Welt,
Komm zu mir, Herr des Schweigens,
Mit Deiner Ruhe, Deinem Frieden.

Und wenn mein Bettlerherz in einer Ecke kauert,
Eingesperrt, brich Du die Türe auf, mein König,
Und komm zu mir im Festgepränge eines Königs.

Wenn meinen Sinn Begehren blendet mit Wahn
und Staub,
O Heiliger, Wachsamer Du, dann komme
Mit Deinem Licht und Deinem Donner.

Rabindranath Tagore 7, S. 76

*

Herr, mir kommen zuweilen bis tief ins Innerste Zweifel, ob ich Dich wirklich liebe.
Indessen bin ich mir wenigstens darin ganz sicher,

daß ich immer die *Liebe zu Dir* liebe. Ich liebe sie so sehr, daß ich jedesmal, wenn ich zu ihr ermahnt werde oder mich an sie erinnere, ganz erregt werde. Ist dagegen von *Dir* die Rede oder denke ich an *Dich,* dann rührt und bewegt mich dieser Gedanke nicht besonders, und ich fürchte, es könnte mir deutlich werden, daß ich Dich nicht immer liebe.
So frage ich mich, ob ich Dich wirklich liebe. Wenn mir vorkommt, als liebte ich Dich nicht, dann bin ich mir selbst zuwider; und wenn ich mir selbst zuwider bin, gibt es nichts, was ich lieben könnte.
Immerhin: ich spüre und kann sagen, daß ich es liebe, Dich zu lieben, und zwar so sehr, daß ich überhaupt nichts lieben möchte, was ich nicht in der Liebe zu Dir und um dieser Liebe willen lieben könnte. Nicht einmal mich selbst. Wenn du mich daher heute wie seinerzeit den Petrus fragen würdest: »Liebst du mich?«, so würde ich nicht die Antwort wagen: »Du weißt, daß ich Dich liebe« (Joh 21,17). Aber frohen und sicheren Gewissens könnte ich sagen: »Du weißt, daß ich Dich lieben *möchte.*«

Wilhelm von Saint-Thierry 26, S. 133

*

Der Lobpreis entzündet die Liebe und unterhält ihr Feuer. Deshalb nähren die Bewohner Jerusalems mit ewigem Lobpreis den Bund der ewigen Liebe. Sie rufen ohne Unterlaß, um ohne Unterlaß in der Liebe zu bleiben. Nie ruht ihre Stimme, denn ihre Liebe kennt keine Pause. So ist der Lobpreis die Nahrung der Liebe.
Wenn du also ein kleines Fünklein Liebe in deinem

Herzen hast, so gib sorgfältig zu diesem Fünklein das Öl deines Lobpreises. Von diesem Öl lebt und wächst ein winziges Feuerchen. Mit diesem Öl salbst du Jesus, steigerst die Liebe. Durch den Lobpreis wird die Liebe stärker, und umgekehrt wird der Lobpreis von der Liebe geschürt.
Eine Liebe ohne Lobpreis ist stumm, und erst recht ist ein Lobpreis ohne Liebe stumm, selbst wenn er von Engelszungen gesprochen würde.

Johannes von Ford 26, S. 147

*

Die Zuneigung wird gemessen am Grad der Liebe, nicht am Erfolg im Finden. Wer auch nur einmal bei sich diese Liebe oder diese Sehnsucht erfahren hat, der kann von sich selbst aus ermessen, wie groß der Schmerz der Braut ist, wenn sie klagt: »Ich habe ihn nicht gefunden« (Hld 3, 1).
Nirgends habe ich Trost, nirgends Erholung gefunden, sondern überall nur Kummer und Schmerz, denn ich habe den, den ich so glühend liebe und so inständig suche, nicht gefunden.

Gilbert von Hoyland 26, S. 130

*

Das Fleisch und Blut, das tönerne Gefäß, die irdische Wohnstatt: wann können sie das fassen? Wann erfahren sie dieses Angerührtwerden: daß der Geist, trunken von göttlicher Liebe, sich selbst vergißt, wie ein Gefäß in sich selbst zerbricht, ganz in Gott eingeht, Gott umarmt und *ein* Geist mit ihm wird (vgl. 1 Kor 6, 17)? Daß er sagt: »Mein Fleisch und mein Herz

vergehen. Gott ist der Gott meines Herzens, und mein Anteil ist Gott in Ewigkeit« (Ps 72,26)?
Selig nenne ich den und heilig, dem geschenkt wird, etwas derartiges in diesem sterblichen Leben zu erfahren, selten zwar, aber doch zuweilen; oder auch nur einmal und dies ganz plötzlich, im Zeitraum eines einzigen winzigen Augenblicks. Denn das ist ein Anteil am Zustand der Himmlischen, nicht Sache menschlichen Empfindens: dich sozusagen zu verlieren, gleichsam als wärest du nicht mehr; dich selbst überhaupt nicht mehr zu spüren, deiner selbst entledigt und nahezu zu Nichts geworden zu sein.

Bernhard von Clairvaux 26, S. 165f.

*

Die Flöte der Unendlichkeit
spielt fort und fort,
und ihr Ton heißt Liebe:

Wenn Liebe alle Grenzen überspringt,
erreicht sie die Wahrheit.

Wie weit sich der Duft verbreitet!
Er verströmt ununterbrochen,
nichts hindert ihn.

Die Gestalt dieser Melodie ist
hell wie eine Million Sonnen:
unvergleichlich tönt die Vinā,
die Vinā der Musik der Wahrheit.

Kabir 7, S. 137

*

Wie ein kleiner Wassertropfen, der in eine Menge Wein fällt, sich scheinbar ganz auflöst, indem er den Geschmack und die Farbe des Weines annimmt; und wie ein glühendes und leuchtendes Eisen ganz wie das Feuer wird und seine frühere eigene Form ablegt; und wie die Luft, durch die ein Sonnenstrahl fährt, in die gleiche lichtvolle Klarheit verwandelt wird, so daß sie nicht nur erleuchtet, sondern selbst Licht zu werden scheint: so muß in den Heiligen alle menschliche Liebeskraft auf eine unaussprechliche Weise sich selbst ganz verflüssigen und sich ganz und gar in das Wollen Gottes ergießen. Denn wie anders würde Gott alles in allem sein, wenn im Menschen noch etwas vom Menschen übrigbliebe? Zwar bleibt seine Substanz, aber in einer anderen Form, in einer anderen Herrlichkeit, in einer anderen Potenz.
Wann wird dies der Fall sein? Wer wird das zu schauen bekommen? Wer wird das besitzen? Wann darf ich kommen und vor dem Antlitz Gottes erscheinen (Ps 41,3)? Mein Herr und Gott, zu Dir spricht mein Herz, Dich sucht mein Antlitz; Dein Angesicht, Herr, will ich suchen (Ps 26,8).

Bernhard von Clairvaux 26, S. 166f.

*

Auf eine seltsame Weise wird die Liebe, wenn sie so voranschreitet, immer mehr krank: je stärker die Glut der Sehnsucht nach Gott das Herz ergreift, desto mehr schmilzt der Geist, wird vor Liebessehnsucht flüssig und geht über in Gott.
Ich wünsche dir, daß dich diese Liebe ganz flüssig

QUELLENVERZEICHNIS

Bisher in der Reihe »Texte zum Nachdenken«
erschienene Bände

1 *Schiffe ans andere Ufer.*
Dichtung aus dem Libanon. Ausgewählt und eingeleitet von Ursula Assaf-Nowak. Nr. 826, DM 5.90.
Dichtung aus dem Libanon, die den Zauber der östlichen Welt atmet, in der der Mensch noch Zeit hat für die wesentlichen Dinge.

2 *Novalis. Im Einverständnis mit dem Geheimnis.*
Ausgewählt und eingeleitet von Otto Betz, Nr. 773, DM 5.90.
Des Dichters schönste Fragmente, hier gesammelt, sind Wegzeichen auf der Suche nach dem Geheimnis der Welt.

3 *Bettina von Arnim. Meine Seele ist eine leidenschaftliche Tänzerin.*
Ausgewählt und eingeleitet von Otto Betz, Nr. 935, DM 7.90.
Gedanken aus den Briefen der leidenschaftlichen Romantikerin, buchstäblich über Gott und die Welt.

4 *Als die Götter noch mit den Menschen sprachen. Gilgamesch und Enkidu.*
Nach sumerischen und babylonischen Keilschriftquellen zusammengestellt und nacherzählt von Victoria Brockhoff und Hermann Lauboeck. Illustrationen von K. Lehmann Nr. 896, DM 7.90.
Eine Nacherzählung des Keilschrift-Epos über das Freundespaar Gilgamesch und Enkidu – ein frühes Zeugnis der Zwiesprache mit den Göttern.

5 *Brüder Grimm. Das Wunderbare ist das Wahre.*
Mit alten Scherenschnitten. Ausgewählt und eingeleitet von Monika Christians. Nr. 684, DM 5.90.
Märchen als Weisheitsquellen – eine Auswahl aus wenig bekannten Texten. Für erwachsene Leser, die nach der inneren Wahrheit der Welt suchen.

6 *Johann Wolfgang von Goethe. Gedenke zu leben.*
Eine Begegnung mit dem alten Goethe. Ausgewählt und eingeleitet von Monika Christians. Nr. 981, DM 6.90.
Goethe als Weisheitslehrer – ein heute wenig beachteter Beitrag seiner späten Dichtung, in die er viel über die großen Lebensgesetze »hineingeheimnist« hat.

7 *Krishnas Flöte. Religiöse Liebeslyrik aus Indien.*
Gesammelt, übersetzt und eingeleitet von Martin Kämpchen. Zeichnungen nach traditionellen Motiven von Pandit Sadasiva Rath Sharma. Nr. 752, DM 5.90.
Die innige Beziehung des Hindus zu seinen Göttern findet ihren schönsten Ausdruck in der religiösen Liebeslyrik Indiens.

8 *Die heiligen Wasser. Psalmenmeditationen aus Indien.*
Mit Holzschnitten von Yoti Sahi und Texten von Martin Kämpchen. Nr. 814, DM 5.90.
Eine indisch-christliche Begegnung: Psalmentexte und Stellen aus den heiligen Büchern der Hindus, gegenübergestellt und meditiert.

9 *Im Lebenskreis der Armen. Indisch-christliche Spiegelungen der Hoffnung.*
Von Martin Kämpchen. Mit Holzschnitten von Yoti Sahi. Nr. 892, DM 6.90.
Die Hoffnung, wie sie sich aus der Sicht der indischen Mythen und aus der Sicht der Bibel darstellt. Texte, Holzschnitte, Meditationen.

10 *Adalbert Stifter. Im Angesicht der Dinge.*
Ausgewählt und eingeleitet von Jutta Kayser. Nr. 711, DM 5.90.
In der Ehrfurcht vor den Dingen hat Stifter das Lebensgesetz dieser Welt gesehen und geschildert.

11 *Fancisco de Osuna. Versenkung.*
Weg und Weisung des kontemplativen Gebetes. Ausgewählt, übersetzt und eingeleitet von Erika Lorenz. Nr. 938, DM 6.90.
Der spanische Franziskaner des 16. Jahrhunderts eröffnete mit dieser Einweisung in die Kunst des Meditierens Zugänge zu jenem Tiefengebet, das zu einer Versenkung führt, die viele heutzutage nur in den östlichen Religionen finden.

12 *Teresa von Avila. »Ich bin ein Weib und obendrein kein gutes«.*
Ein Portrait der Heiligen in ihren Texten. Ausgewählt, übersetzt und eingeleitet von Erika Lorenz. Nr. 920, DM 6.90.
Teresa zählt zu den größten Gestalten der Mystik, dennoch blieb sie die Frau mitten im Alltag, erfüllt von herzerfrischender Schlagfertigkeit und praktischem Sinn.

13 *Charles Péguy. Im Schweigen des Lichts.*
Ausgewählt, übersetzt und eingeleitet von Oswald von Nostitz. Nr. 986, DM 6.90.
Gegen Not und Elend, gegen die Sünde der Verzweiflung setzte der französische Dichter auf das »kleine Mädchen Hoffnung«.

14 *Verborgene Worte Jesu. Christusmeditationen aus der frühen Kirche.*
Auswahl und Einleitung von Alfons Rosenberg. Nr. 857, DM 5.90.
Auch außerhalb der offiziellen Evangelien sind uns Worte Jesu überliefert, die seine Botschaft blitzartig zu erhellen vermögen.

15 *Franz von Assisi. Geliebte Armut.*
Texte vom und über den Poverello. Ausgewählt und eingeleitet von Gertrude und Thomas Sartory. Nr. 630, DM 5.90.
Der befreiende Weg des Poverello, von dem eine große Kraft, von dem Freude und Hoffnung für viele ausgeht.

16 *Mahatma Ghandi. Handeln aus dem Geist.*
Ausgewählt und eingeleitet von Gertrude und Thomas Sartory. Nr. 632. DM 5.90.
Die Kraft für sein heroisches Leben fand der Mahatma in den Quellen der indischen Religiosität, aber auch in der Bergpredigt Jesu.

17 *Weisung in Freude. Aus der jüdischen Überlieferung.*
Ausgewählt und eingeleitet von Gertrude und Thomas Sartory. Nr. 633, DM 5.90.
Das Geheimnis des Judentums: Nicht Furcht und Zwang bestimmen die Annahme der Weisung – der Tora, sondern freie Entscheidung.

18 *Friedrich Rückert. Am Abend zu lesen.*
Aus der »Weisheit des Brahmanen«. Ausgewählt und eingeleitet von Gertrude und Thomas Sartory. Nr. 654, DM 5.90.
Die schönsten Stücke aus seiner Lehrdichtung – Verse nüchterner Kontemplation und poetischer Magie.

19 *Ich sah den Ochsen weinen. Die Heiligen und die Tiere.*
Ausgewählt und eingeleitet von Gertrude und Thomas Sartory. Nr. 747, DM 6.90.
Texte über die Urbeziehung zwischen Heiligen und Tieren in der christlichen, hinduistischen und buddhistischen Überlieferung.

20 *Lebenshilfe aus der Wüste. Die alten Mönchsväter als Therapeuten.*
Ausgewählt und eingeleitet von Gertrude und Thomas Sartory. Nr. 763, DM 6.90.
Die »Psycho-Therapie« der alten Mönchsväter, wieder entdeckt für unsere Zeit.

21 *Heimgang. Orientierungen für den letzten Weg.*
Ausgewählt und eingeleitet von Gertrude und Thomas Sartory. Nr. 820, DM 5.90.
Klassische Texte aus jüdisch-christlicher Überlieferung über das Sterben. Der Tod als der große Verwandler, durch den das Leben nur in die wahre Heimaterde umgepflanzt wird.

22 *Johannes Cassian. Spannkraft der Seele.*
Einweisung in das christliche Leben I. Ausgewählt, übertragen und eingeleitet von Gertrude und Thomas Sartory. Nr. 839, DM 7.90.
Erstmals seit über 100 Jahren wird das Werk des ägyptischen Mönchsvaters wieder in deutscher Sprache vorgelegt. In diesem Band geht es um den »königlichen Weg« zur Klarheit der Liebe, zur bleibenden Freude, zum dialogischen Gebet.

23 *Johannes Cassian. Aufstieg der Seele.*
Einweisung in das christliche Leben II. Ausgewählt, übertragen und eingeleitet von Gertrude und Thomas Sartory. Nr. 945, DM 6.90.
In diesen Schlüsseltexten geht es Cassian um den Weg, der mit innerer Konsequenz aufwärts führt. Der dritte und ab-

schließende Band »Ruhe der Seele« (Nr. 1032) erscheint voraussichtlich Ende 1983.

24 *Henry D. Thoreau. Leben aus den Wurzeln.*
Zusammengestellt, übersetzt und eingeleitet von Susanne Schaub. Nr. 655, DM 5.90.
Zurückgezogen in die Stille der Natur, formuliert der amerikanische Dichter ein neues, höchst aktuelles Lebensprogramm.

25 *Ralph W. Emerson. Spanne deinen Wagen an die Sterne.*
Zusammengestellt, übersetzt und eingeleitet von Susanne Schaub. Nr. 780, DM 5.90.
Emerson prägte entscheidend das Leitbild eines unabhängigen – sinn- und vernunftbegabten, weltfrommen Menschen. Sein berühmter Essay »Selbstvertrauen« wird als die geistige Unabhängigkeitserklärung Amerikas von Generationen gefeiert.

26 *Ein Lied, das nur die Liebe lehrt. Texte der frühen Zisterzienser.*
Ausgewählt, übersetzt und eingeleitet von B. Schellenberger. Nr. 904, DM 7.90.
Bisher noch nicht übersetzte religiöse Liebeslyrik der frühen Zisterziensermönche, die mit Bernhard von Clairvaux aus den reichen Klöstern ausgezogen waren.

27 *Hasrad Inayat Khan. Vom Glück der Harmonie.*
Ausgewählt, übersetzt und eingeleitet von Carima Sen Gupta. Nr. 724, DM 5.90.
Der indische Mystiker und Musiker hat mit seiner Lehre vom Geheimnis der Harmonie in Ost und West unauslöschlichen Eindruck hinterlassen.

28 *Niklaus von Flüe. Erleuchtete Nacht.*
Holzschnitte zu seinen Visionen von A. Spichtig mit Texten von Margrit Spichtig. Nr. 852, DM 5.90.
Die Visionen des großen Schweizer Mystikers und Politikers, die uns die Tiefen seiner ihm geschenkten Gotteserfahrungen erahnen lassen.

29 *Der Rosengarten. Orientalische Märchen.*
Erzählt und geschrieben von Linde Thylmann. Gezeichnet von Karl Thylmann. Nr. 631, DM 5.90.
Aus dem Nachlaß des Jugendstilmalers Karl Thylmann: Nacherzählte orientalische Märchentexte, ausgeschmückt mit meditativen Ornamenten und Graphiken.

30 *Gesänge des tanzenden Gottesfreundes. Aus der Dichtung des persischen Mystikers Rumi.*
Mit Ornamenten von Karl Thylmann. Übertragen und geschrieben von Linde Thylmann. Nr. 679, DM 5.90.
Der Jugendstilmaler Karl Thylmann hat diese Gaselen Rumis, der tiefsten Dichtung der persischen Mystik, übersetzt und mit meditativen Ornamenten geschmückt.

31 *Lao-tse. Jenseits des Nennbaren.*
Sinnsprüche und Zeichnungen nach dem Tao te King, von Linde von Keyserlingk. Nr. 741, DM 5.90.
Sinnsprüche aus dem Tao te King. Neuformuliert und von einer modernen Künstlerin in schlichten Naturzeichnungen gespiegelt.

32 *Der Himmel liebt die Erde. Weisheit des christlichen Ostens.*
Ausgewählt und eingeleitet von Archimandrit I. Totzke. Nr. 690, DM 5.90.
Immer von neuem besingen die gläubigen Christen des Ostens das Geheimnis des Kosmos: Mensch und Erde sind gemeinsam erlöst, nicht zusammengehalten durch ein unpersönliches Welt-Gesetz, sondern von einer All-Liebe, die zugleich jedes einzelne sieht und meint.

33 *Buchstaben des Lebens. Nach jüdischer Überlieferung.*
Erzählt von Friedrich Weinreb. Nr. 699, DM 6.90.
Zurückgehend auf alte, fast verschollene jüdische Traditionen, deckt Friedrich Weinreb hier einen völlig neuen, geheimnisvollen Aspekt des Lebenssinnes auf.

DAS BAYERISCHE FERNSEHEN ÜBER DIE EDITION

Gleichsam gegen die Wucht der Kassettenberge, gegen die Mächtigkeit der Vieltausend-Seiten-Editionen und gegen den Ausstoß von aktuellen Themen sind die »Texte zum Nachdenken« konzipiert. Das mutige und bemerkenswerte Unternehmen, das von Gertrude und Thomas Sartory betreut wird, will Bücher anbieten, die schon in ihrer äußeren Gestalt Qualität signalisieren, Bücher, die man langsam, beschaulich lesen sollte. Und sie bieten in Schriftgestaltung und, womöglich auch in den Illustrationen, dem Auge die Chance des Verweilens. Es sind Bände, die, wie die Herausgeber hoffen, »das Bewußtsein weiten und verändern, die Seele wandeln« können.

Die Herausgeber:

Gertrude Sartory, 1923 in Hamm geboren. Germanistische und theologische sowie juristische Studien. Promotion im kanonischen Recht, Sozialarbeit und Lehrtätigkeit. Seit 1958 freiberuflich tätig als Schriftstellerin und Publizistin.

Thomas Sartory, 1925 in Aachen geboren. Studium der Philosophie, der kath. und ev. Theologie. 1962 Habilitation in Salzburg. Seit 1967 freiberuflich tätig als Schriftsteller und Publizist. 1982 gestorben. Nachruf siehe Seite 127f.

Hinweis für Interessenten
Alle hier zitierten Bände sind z. Z. der Drucklegung dieses Sonderbandes – Anfang 1983 – beim Verlag lieferbar. Sollte Ihr Buchhändler den einen oder anderen gewünschten Band nicht am Lager haben, so kann er ihn innerhalb weniger Tage besorgen.

ZUM ANDENKEN AN THOMAS SARTORY

Von Archimandrit Irenäus Totzke

Am 18. Juli 1982 starb in Landshut Dr. theol. habil. Thomas Sartory. Seit 35 Jahren war er der Abtei Niederaltaich in verschiedenster Weise verbunden, sei es in regulärer Zugehörigkeit, sei es in Auseinandersetzung und Abwendung, sei es in erneuter und neugearteter Zuwendung. In seinem Leben spiegelt sich eine Epoche, nämlich die Zeit des aufbrechenden Katholizismus der Nachkriegsjahre über die Turbulenzen der konziliären und nachkonziliären Periode bis zu den neuen Ufern neugewonnener Spiritualität der siebziger Jahre. Da er ein Leben lang mit dem Finger am Pulsschlag der Zeit lebte und sein Denken stets eher von einem seherischen Fühlen als von ratiozinierender Logik bestimmt war, machte er alle Entwicklungen des deutschen Katholizismus der genannten Jahre entschlußfreudig mit. Daß dies einen übergroßen Spannungsbogen, ein überaus gefährliches Auf und Ab und darüber hinaus eine, im Sinne der Artussage, abenteuerliche Fahrt mit viel Kampf und Wunden bedeuten würde, ahnte er anfangs wohl selber nicht.

Vielen ist er auf der Fahrt seines Lebens begegnet, vielen hat er etwas bedeutet und vielen dabei viel gegeben. Denn immer ging es ihm – wo er auch theologisch stand – um die lebendige, so intensiv wie mögliche, Begegnung des Menschen mit Gott, sein eigenes Menschsein dabei eingeschlossen. In den ersten Jahren nach dem Krieg suchte er die Begegnung mit dem Christentum des Ostens. Seine Prägung durch die katholische Jugendbewegung führte ihn dann aber zu den prophetischen Gehalten reformatorischen Christentums. Er wurde zu einem begeisterten Ökumeniker, mehrere Jahre hindurch sogar zu einem ökumenischen Wortführer. Dann entdeckte er den Gotteseifer des Judentums; er vertiefte sich in die chassidische Überlieferung des alten Gottesvolkes. Im Chassidismus faszinierte ihn neben dem Gottes-Eifer die Gottes-Liebe. Dies wiederum führte ihn zur Beobachtung der Gottesliebe im Islam, im Hinduismus und im Buddhismus. Der Zen-Buddhismus aber ließ ihn Brücken zu Meister Eckehard, der Shin-Buddhismus Bögen zum Athos schlagen. Im »Guru« ging ihm die Bedeutung des »Meisters« überhaupt, des »Staretz«, des »Seelenführers« auf. Seelenführung, Mystik, Kult, Tempel und Kloster erstrahlten ihm in einem neuen Licht – im Grunde aber im uralten, dann verlorenen und nun wiedergefundenen. Unendlich vielen hat er dabei geholfen – das sollte immer bedacht sein –, mit ihm zusammen das uralt-neue Licht, den »Stern aus Jaakob« zu finden. Gern wandte er dabei auf sich das Wort der Schrift über die Heiligen Drei Könige an: »Und sie kehrten auf einem anderen Wege in ihr Land zurück.«

Die äußeren Daten seines Lebens sind folgende:

Geboren am 23. April 1925 in Aachen; 1947–1963 im Kloster Niederaltaich; 1953–1963 Schriftleiter der ökumenischen Zeitschrift UNA SANCTA; 1955 Gründung des »Hauses der Begegnung« in Niederaltaich; 1957 Begründung der »Tage geistlicher Einkehr für katholische, evangelische und orthodoxe Christen« (heute »Ökumenische Einkehrzeit«) in Niederaltaich; 1960–1963 Dozent für Ökumenische Theologie an der Benediktinerhochschule Sant' Anselmo in Rom; 1962 Mitplanung am »Ökumenischen Institut der Abtei Niederaltaich«; 1963 Übertritt in die Diözese München-Freising; 1967 Laisierung und Heirat; ab 1972 erneuter Kontakt zur Abtei, nun speziell zur Byzantinischen Dekanie. Starke Hinwendung zum Christentum des Ostens und zu den frühen Kirchen- und Mönchsvätern. Niederlassung in Nideraichbach bei Landshut, von dort regelmäßige Besuche der byzantinischen Gottesdienste in Niederaltaich. 1982 Tod in Landshut und Begräbnis in Niederaichbach durch die Byzantinische Dekanie.

Aus: »Die Beiden Türme« – Niederaltaicher Rundbrief Nr. 42, Jg. 18–2/1982.